あいだで
える

ホームレスでいること

見えるものと見えないもののあいだ

いちむらみさこ

創元社

はじめに

「ホームレス」と聞いてどのように感じるだろうか。イメージできない、未知の世界だと思うかもしれない。そもそも自分とは関係ない？　ホームレスという言葉はよく聞いても、その暮らしについてはあまり知られていないのではないか。

なぜ家を出てホームレスの暮らしをしているのか？　この質問をわたしは何度も投げかけられる。これに答えるのは難しい。家を出る前の嫌《いや》なことや苦しかった記《き》憶《おく》の中から、さてどれを選ぼうか、とあれこれ思いださなければならないからだ。

そこでわたしはこう答えるようにしている。こっちの生活のほうが可能性があるからだ、と。ホームレスの暮らしがユートピアなわけではなく、嫌なこともたくさん起こるけど、なんというか、ホームレスでいることで、大事なものを手放さなくていいような気がするのだ。

つまりわたしにとっては、ホームレスでいることがホームのようなこと。

ほかのホームレスは、しかたなくホームレスになっているけど、あなたはホームレスでいることを選んだのではないの?という質問も多い。そうですよ、わたしは自分で決めたよ、と答えてみる。しかたなく、というのは、むしろ前の暮らしのほうが当てはまる言葉だ。しかたなく働いて、しかたなく人と競争して、しかたなく家賃を払《はら》って、しかたなく生きていた。屋根があり、トイレ、水道、ガス、電気があるという点で便利だったが、その暮らしを維持《いじ》することは簡単なことではなかったし、ほかに何かもっと豊かな暮らし方があるのではないかと感じていた。

「標準」「普通《ふつう》」とされている暮らしの中には、さまざまなしきたりや制度が組みこまれている。家に属し、学校に通い、働いて、何をめざして生きていくのかにも。でも、属するべきとされている「ホーム」「標準」「普通」に収まらなくて、ホームレスでいたいことってあるのではないか。自分の中の、孤独《こどく》で、切なくて、やるせなく、どこにも収まらないことは、自分でも見えないことにしていたりする。

そういった自分の気持ちをないことにしないでほしい。自分の中のホームレスなことが、一時的な衝動《しょうどう》ではなく、なにか大事なものを求める気持ちだとわかったとき、それは自由につながるかもしれない。そして、「ホーム」を出て、ほかの「ホームレス」たちとつながったとき、お互《たが》いの自由を実現していけるかもしれない。

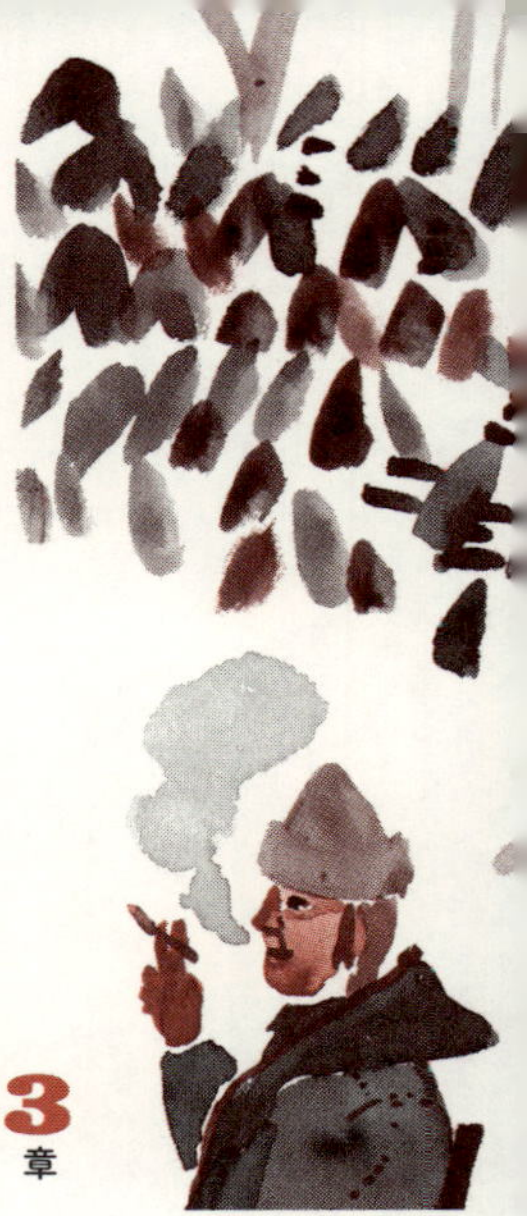

1章 公園のテント村に住みはじめる

そこにはとても静かな生活があり、
ゆるやかな時間が流れていた。
東京の真ん中に
人々が自ら村をつくっている風景に、魂《たましい》が震《ふる》えた。

今から20年ほど前、
いちむらみさこさんは
公園のブルーテント村での生活に飛びこんだ。
テント村では、ホームレスと呼ばれる人たちが
自分たちの暮らしを自身の手でつくっていた。
いちむらさんは「ここなら生きられる」と思ったのだ。

1章では、テント村での生活のはじまりと
そこでの人々のつながり、
そしていちむらさんが立ちあげた
「女性のためのティーパーティー」のことを語る。

どの地図にも載《の》っていない村

大きな都市の中に

東京の真ん中にある森林公園のずっと奥《おく》に、ブルーテントの村がある。林の中に15軒《けん》ほど、ブルーシートでつくられたテントや小屋が点々とたっている。公園内には、この集落だけではなく、道路と公園のあいだにブルーシートの小屋をたてている人、地面に荷物を置いてその横で過ごしている人、夜だけ来てベンチで眠《ねむ》る人も含《ふく》めると40名ぐらいが暮らしている。住んでいる場所には電気もガスも通っていないけれども、それぞれ工夫しながら料理や洗濯《せんたく》をして生活を営んでいる。

わたしはここに住みはじめてもう20年になる。ずいぶん長いように感じるけれど、隣《となり》の人は35年も住んでいて、人生のほぼ半分をこの公園で暮らしていることになる。つい最近この公園で寝《ね》はじめたという人もいる。20年のわたしも35年の隣の人も、最近住みはじめた人たちも、いつか出ていくことになるのだろうとは思っているが、今のところここに生活がある。公園管理事務所の職員はそれぞれの寝場所に来て、公園は生活する場所ではない、荷物を広げるな、福祉《ふくし》の制度を使えなどと言ってくるが、でもどこにも行けず、ここにいる。

この村はどの地図にも載《の》っていない。わたしたちの住まいは、公的に登録されてはいないけれども、ひとりひとりがここで実際にそれぞれの生活を営んでいることは疑いようのないことだ。また、公園以外にも、街には歩道橋の下や高架下《こうかした》、建物の軒下《のきした》や地下通路などで段ボールを敷《し》いて寝ている人たちもいる。多くの人がただ歩きすぎていくだけの場所に寝場所をつくり、命をつないでいる。そうやって暮らしている人たちがいることは、東京や大きな都市を歩いていると見えるはずなのに、見えていないように人々は通りすぎていく。

テント村の住人になる

わたしがこのブルーテント村を初めて訪《おとず》れた頃《ころ》は、公園内にテントや小屋が350軒ほどたっていて、今よりもずっと大きな集落だった。友人がここにテントをたてるという話を聞いて、いったいどんな場所なのだろうかと思い、公園を訪ねてみた。テント村は想像していたよりも広くて、その友人はなかなか見つからない。テント村の中には、部外者が無断で入ることはためらわれるほど、人々の丁寧《ていねい》な生活が広がっていたので、わたしは歩道として定められた道だけを歩いていった。木々のあいだに点々とたっているひとつひとつ個性的な小屋、小屋の前でゆったりと椅《い》子《す》に座《すわ》っておしゃべりしている人たち、アルミ缶《かん》をひとつずつつぶす作業をしている人もいて、木漏《も》れ日の中で洗濯物がゆれている。そこにはとても静かな生活があり、ゆるやかな時間が流れていた。東京の真ん中に人々が自ら村をつくっている風景に、魂《たましい》が震《ふる》えた。

とはいえ、わたしはこの村をただ楽観的に眺《なが》めていたわけではなく、すこし緊張《きんちょう》しながら観察してもいた。それは、男性に見える人たちが多いこの集落に、女性たちがどのように住んでいるのかということだった。わたしはすでに自分もここに住むことをイメージしながらテント村を眺め、歩いていた。

それ以降もわたしはテント村に足を運んだ。次第《しだい》にテント村のほかの住人たちとも知りあっていき、夏の暑さがゆるんだ10月、ここに自分のテントを張ることになった。

初日には会えなかったけれど、のちにわたしはたくさんの女性たちに会うことになり、今は彼女《かのじょ》たちとこのテント村で、そしてこの街で共に暮らしている。

どうしてテント村に住みはじめたのか

どこから説明すればいいのだろうか。公園のテント村に住みはじめた２００３年には、まさか自分がここに20年も暮らしつづけるとは考えてもいなかった。気軽に住みはじめたというわけでもなく、それまでの暮らしよりも、テント村のほうがずっと希望があると感じてこの暮らしに飛びこんだ。

生きていくためには、決められた時間働いて、それで賃金を得なければならないと考えると、心が沈《しず》むようだった。そういった賃労働では、競争をあおられ、より「上」をめざして生きていくこと、成長していくことが価値のあることとされているようだった。性差別の解消や女性の社会進出も、そういった競争社会を勝ち抜《ぬ》いていくということで実現されるものだと語られていた。学校でも職場でもそうだった。「働くことで社会に参加して、貢献《こうけん》するのだ」と言われながら、実際は、他人を食うようなやり方で優劣《ゆうれつ》をつけるシステムに組みこまれていた。すごく嫌《いや》だったけど、わたしはそこでしか生きられないと思わされていたし、そうして自分を追いこんでいた。それが「自立」と言われていた。本当は互《たが》いに助けあったりできるはずなのに、人を単なる労働力として見て、都合よく働く機械になるように追いたてていくようなムードがあった。嫌なことを我慢《がまん》してやって生きていくことが世間の掟《おきて》とされて、

社会全体にどっしりと横たわっていた。わたしや同じ世代の友人たちは、雇用主《こようぬし》の要求にふりまわされ身も心もボロボロになっていたように思う。さらに、高い家賃のために食費を節約し、毎月、家賃が口座から引き落とされたあとの数字を見て血の気が引いた。

こうして、働けば働くほど豊かになるどころか、自尊心が傷つけられ、わたしは他人に対しても自分に対しても不信感がつのって、自暴自棄《じき》になり死にたくなっていったし、働くことにも絶望していった。

その上、国会では、イラク戦争で自衛隊を「非戦闘《せんとう》地域」という名目で実質的な戦地へ向かわせることについて審議《しんぎ》されており、社会全体が戦争のほうを向いていた。この時にはっきりわかった。戦争が起きる前からすでに、競争社会の中で殺されるか殺すかを選ばされる罠《わな》に、いつのまにか追いこまれていたのだ。年間の自殺者が3万4000人を超《こ》えてしまっていた。

そうした頃、わたしはブルーテント村に出会ったのだ。

テント村では、街で毎日大量に廃棄《はいき》される食べ物や不用品を集めてきて、それらを分けあい、さまざまなアイデアで暮らしを豊かにしていた。世界でもっとも発展したビジネスの街である東京の公園で、大きなお金の動きになるべくかかわらず、生きることを真ん中に置いた暮らしを創造し、オルタナティブ[1]なコミュニティを実践《じっせん》していたのだ。わたしは、ここなら生きられると感じて、このテント村に飛びこんだ。自分のテントをたてることができた時は高揚《こうよう》感と緊張感と不安が入り混じったような気持ちで、それはとても心地よかったことを覚えている。

もちろん、テント村のほかの住人がみな、わたしと同じような理由でここでの暮らしに至ったわけではないと思う。子どもの頃から貧しかったり、競争社会の中で不利な立場に置かれたりしながら、「すべてその人自身のせいだ」と自己責任論にとりこまれ、世間との折りあいがつけられなくなった人たちが多いように思う。こんな社会システムではとうていやってられないと世間に見切りをつけ、あるいは体力的にも精神的にも疲《つか》れはてて命からがらこのテント村へやってきて、ここに小屋をつくり、余った食べ物や服や物を分けてもらい、自分の寝場所をつくって生活を立て直し、だんだん元気になっていく人に、わたしは何人も出会ってきた。死のうと思っていたところをこのテント村にたどりついたとか、どうやってここに来たのかまったく覚えていない、と話す人もいる。

生活が困窮《こんきゅう》している場合、地域の福祉制度を使ったり、年金や保険、生活保護（87ページ参照）などの給付を受けたりして暮らしていく選択《せんたく》もあるだろう。しかし、たとえば生活保護制度を使う際に、家族や親族に行政❖2が連絡《れんらく》して、その人の面倒《めんどう》をみることができないかと聞かれるなど、本人が望まない扱《あつか》いを受けることもよくあるし、たとえ生活保護を受けられても、お金をどう使うか完全に自由ではなく、生活のしかたを制限されてしまう。それよりも自らの方法で自分たちは生きられる、人間はそんなものじゃないと、生きることを実践しているのがテント村だと思う。もちろん、助け合いがあっても、みんなが仲がよいわけではないので対立も起こるし、いろいろと問題も多い。それでもここに住みつづけたいという人がほとんどだ。

帰るべきところとされている「ホーム」から出てわたしはホームレスになり、ここに住んでいる。

❖1 代わりの。既存《きぞん》のものではなく、その代わりとなる別のものであること。
❖2 「行政」とは立法・司法と並ぶ国家権力の作用（三権分立）のひとつで、法の内容を実施《じっし》していく働きをいうが、一般《いっぱん》に、その仕事を行う地方自治体の役所の意味でも使われる。この本でもその意味で多く使われている。

物々交換《こうかん》カフェ「エノアール」と「絵を描《か》く会」

分けあうつながり

テント村の住人たちと同じように公園の水場でわたしも洗い物をし、井戸端《いどばた》会議のようなおしゃべりの中で、村のことを少しずつ知っていった。公園内には5つの集落があること。酔《よ》っ払《ぱら》いたちが集まる地域、元板前《いたまえ》がいる食堂、マージャン小屋があり、また、看板持ちやアルミ缶集めや古着・中古品販売《はんばい》などの職業別ネットワーク、南米出身者のネットワークなどが存在していた。どのグループでも、余りものや情報の交換《こうかん》が行われている。そういったいくつもの地域生活が発生していたのは、350人の中には多様な価値観と個性を持った人がいたため、また、大勢をまとめて支配してしまうような権力関係があまりなかったためだ。テント村の人々は、労働時間が少ないので、それぞれがゆとりのある生活を送っていた。

20年前に比べ、今はテント村の住人がずいぶん減ってしまった。その理由としては、2004年から、公園のブルーテントをなくす目的で、テントや小屋を構えて暮らしている人たちをアパート生活へ移行させる「ホームレス地域生活移行支援《しえん》事業」❖3がとりくまれたことが大きい。事業が始まる半年前から、公園管理事務所の職員が見まわり、新しいホームレスの流入を厳しく制限するようになった。約2年後にこの公園での事業が終わる頃には、テント村は約6分の1に縮小していた。事業の終了後、すでに住んでいる人たちに対しては強制的な追い出しはなかったものの、焚《た》き火をして暖をとることや、屋根を大きくすることなど、生活をよりよくするために何か工夫しようとすると厳しく注意されるようになった。

テント村の住人は、体を壊《こわ》して入院したのちに施設《しせつ》へ入居することになったり、亡《な》くなったりして、年々減っている。わたしには、テントの修理など生活の中で手伝いを頼《たの》める仲間が近隣《きんりん》にいるが、テント村の縮小とともに、物を分けあったり助け

❖3　2004年から東京都が区と共同でおこなった事業。都内の空きアパートを借りあげてホームレスに提供するもので、月3000円で2年間まで住むことができた。移行を断って公園に住みつづけても最終的に強制排除《はいじょ》されるのではないかという懸念《けねん》もあり、多くの人がこの事業でアパート生活に移行した。就労支援も同時にとりくまれたが、ほとんど仕事はなく、結局生活保護を受給することになった人も多い。テント村で生活していた頃は、アルミ缶集めやフリーマーケット、日雇《ひやと》いなどの仕事をしながら近隣《きんりん》とのつながりの中で暮らしていた人も、この事業による「地域生活」では孤立《こりつ》した生活を送ることになり、その後もテント村を訪れて「公園のほうがいい」と話してくれる人もいた。

あったりするネットワークも小さくなった。そこで今では公園内だけではなく、街のホームレスの人たちも含めたネットワークに拡大している。

物や力を分けあうネットワークは広いほうがいい。不用品などをもらった時、自分が使わない物でも、必要な人に持っていくこともできる。わたしはテントの前で時々絵を描《か》いているので、知人のホームレスが色鉛筆《えんぴつ》や絵の具、スケッチブックなどを拾って持ってきてくれることもある。そのように不用品と出会うと、自分が使う場合もあるが、知人に渡《わた》すこともある。わたしたちにとって不用品は、自分が使うだけでなく、必要としている誰《だれ》かを想像してコミュニティの中で循環《じゅんかん》させるというコミュニケーションツールでもある。

物だけではなくさまざまな力を分けあうこともある。ホームレスの中には建築現場で働いてきた人も多く、掃除《そうじ》やかたづけで力を発揮する人や、縫《ぬ》い物が上手な人、また、公園管理事務所との話し合いや交渉《こうしょう》をすることに長《た》けている人もいる。ＩＴリテラシーが高くインターネットを使いこなす人もいる。そして同時に、それぞれできないこともたくさんある。しかしそのできないことを介《かい》して誰かとつながることになり、いろいろとできない人ほど、孤立《こりつ》しにくい。

たとえば、ある日、わたしがテント村のことを書いた記事をテント村の住人たちに読んでもらおうと思って、近所でおしゃべりをしている人たちにその記事を見せた。しかしそこに字が読めない人がいた。するとかつてキャバレーで司会をしていた人が、わたしの記事を読みあげてくれた。とても劇的な言いまわしで読んでくれたので、たちまち人が集まってきてちょっとしたイベントになった。

当然ながら、互いにかかわりあい助けあうコミュニティだからこそ、気の合わない人たちがけんかをしたり、上下関係ができてしまったり、問題は山積みだ。あることないことの噂話《うわさばなし》にうんざりすることもある。そんな時は、問題をないことにはせず、長い時間をかけて調整していくしかない。それはなかなか骨の折れることだけれども、そういった複雑な積み木をそれぞれ壊さないように少しずつ積みあげていくのがコミュニティというものなのかもしれない。

物々交換カフェ「エノアール」と「絵を描く会」

自分のテントをたてて住みはじめようと考え、すでにテント村に住んでいた友人の小川さんを訪れて話しあっているうちに、「絵のある生活工房《こうぼう》」というとりくみが立ちあがった。この村で絵のある暮らしをつくりたいというわたしの希望と、カフェを開きたいという小川さんの案を組みあわせ、小川さんのテントの前で物々交換カフェ「エノアール」と「絵を描く会」を週に1回ずつ開くことになった。

　エノアールには、テント村の住人やほかからやってくるホームレスの人たちも、一般《いっぱん》的な住居に住んでいる人たちも訪れる。生活の中で余っているものなどを持ってきてもらえると飲み物が注文できるシステムで、物を分けあうテント村のやり方をとりいれている。メニューのお茶やコーヒーも物々交換でもらったものだ。余りもので料理やお菓子をつくってきてくれる人もいる。物を持っていない人でも、たとえば道端《みちばた》の草花をつんで持ってきてもらえれば、カフェのテーブルに飾《かざ》ることができて、なかなか粋《いき》な物々交換になる。椅子やテーブル、家具、調理器具も、誰かの引っ越《こ》しの際に出た不用品などが届けられたものだ。気に入ったお茶菓子を誰かが持ってきて、みんなで食べることもある。何も持ってこなくても、かばんの中を、何かないかしら、と探し、使いかけのハンドクリームやポケットティッシュなどを置いていく人もいる。さまざまな物が集まって、それらがまた誰かに分けられていく。

　別の日に開いている「絵を描く会」にも、使われない絵の具、筆などさまざまな画材が集まり、自由に使うことができる。木々に囲まれたテント村の一角で、それぞれが画面に向かいゆっくりとした空気が流れる。他に見向きもせず

集中して描く人もいれば、おしゃべりしながら気まぐれに筆を動かしている人もいる。絵を描かずにただぼんやりしたい人も、本を読みたい人もやってくる。その人たちがいつのまにか誰かの絵のモデルになっていることもある。最後には合評会を開き、それぞれの絵を見せあいながら感じたことを話しあって、お茶を飲んで終わる。

絵を描く会で描かれた絵を額に入れて、エノアールカフェに展示している。「絵のある」カフェなので「エノアール」カフェ。毎週カフェの時間になって小川さんのテントの前の広いあたりにテーブルと椅子、そして絵を出すと、数人がたわいもないおしゃべりをしにやってくる。エノアールの常連さんが新しくホームレスになった人を連れてくることもある。以前来たことがある人から噂を聞いて、とても遠くからやってくる人もいる。季節ごとに変化する木々の下で、お菓子やお茶のコップが並んでいるテーブルを囲み、炊《た》き出し❖4や日雇《ひやと》いの仕事、どこかであった

❖4 生活が苦しい人や災害に遭《あ》った人などのために、広場などで食事をつくって無料で提供すること。都市部では宗教団体や民間の福祉団体、ボランティア団体などが行う炊き出しをホームレスの人々も利用している。

けんかなどについてずっと話が止まらない人がいて、その横に座っている人が突然《とつぜん》ガッツポーズをするので何ごとだろうと思ったら小さなラジオを耳にあてて競馬中《ちゅう》継《けい》を聞いていたようで、テーブルの反対側に座っているほかの人が歌を歌いだし、さっきまでふてくされていた人がその歌を聞いて手をたたき、上機嫌《じょうきげん》に踊《おど》りだす……というような、おしゃべりを超えた対話が展開していくのがエノアールらしい光景だ。

エノアールや絵を描く会は、極寒《ごっかん》時や猛暑《もうしょ》の頃には一時休業したり、街で仲間のホームレスの人が追い出されそうになって応援を求められた時などには臨時休業したりもするが、細々と20年ほど開きつづけている。お金を払《はら》わなくていいエノアールカフェには、ホームレスだけではなく生活保護受給者や低所得者などさまざまな人たちが集まり、食べ物や物、情報を交換していく。アディクション（＝嗜癖《しへき》、依存《いぞん》症《しょう》）の問題を抱《かか》えている人たちもいるのでお酒は出さないし、お金の貸し借りもしないことにしている。できるだけみんなが安心できる場をつくりたい。

女性のためのティーパーティー

テント村の女性たちが話せる場

初めて見た約350人のテント村は、見わたすかぎり男性ばかりだった。その後、物のやりとりを通して、あるいは水場などで、少しずつ女性たちにも出会っていった。

ある日、わたしが男性の友人とテント村を歩いていると「こっちにも女貸せ」とほかの男性が声をかけてきた。こんな人に会うなんて今日はついてないなどと、最初のうちはのんきに思っていたが、次第に住人たちの知り合いが増え、テント村の中で行動範囲《はんい》が広がっていくと、どんどんとややこしいことに遭遇《そうぐう》していった。テント村を歩いているわたしに向かって誰かが「この村は女が住むところじゃやねえ」と言ってきたり、大柄《おおがら》で筋骨隆々《きんこつりゅうりゅう》の人が角材を持って「パトロールだ」と腕力《わんりょく》を見せつけるように夜中のテント村をうろついていたり。ある女性からは「近所の人がしつこく声をかけてくるけど、殴《なぐ》られるから断れない」と聞いた。また、ここに住んでいない男性の知人までもが「悪いことは言わない。ここでは女の人は大変な被《ひ》害《がい》に遭《あ》うから住まないほうがいい」とアドバイスのつもりで言ってきたことはわたしをかなり不快にさせた。押《お》しつけがましく、まるで、テント村の世界のことは女のわたしにはわかっていないというような口ぶりだ。

このままではわたしはすぐに居心地が悪くなるにちがいない。テント村の女性たちはどのように暮らしているのだろうか。女性たちだけで話せる場をつくりたい。わたしは、女だから不自由でもしかたがないという多くの人たちの思いこみをどうしても拭《ぬぐ》いたくて、公園に住む女性たちを集めてティーパーティーを開こうと思った。ここに暮らしはじめて3か月めのことだった。

公園内をくまなく歩きまわって女性たちを探すと、22人も出会うことができた。意外に多いと感じたのは、5つの集落に離《はな》れて暮らしていたため、近くの水場で会う女性は多くても3、4人ほどだったからだ。

20代から70代まで幅広《はばひろ》い年代の女性がいて、連れあいと暮らしている人が12人、ひとり暮らしの人は10人だった。

初回のティーパーティの参加者は、1月の寒い時期だったからか5人だけで、比《ひ》較《かく》的若い世代の人たちがやってきた。お互いに初対面の人が多く、テント村のどのあたりにどのように暮らしているのかなど、すぐに話が始まり、自分以外にも女の人が暮らしていることに驚《おどろ》いている様子だった。ティーパーティーは、テント村のちょうど真ん中あたりにある丘《おか》の上の、住人たちからよく見える場所で開いた。複数の女性たちが集まっているティーパーティーの様子は、それまでこの村の日常にはなかった光景だったはずで、女性たちが実際にこの村に住んでいるのだということをみなに知ってもらうことができたと思う。

毎月1回の女性のためのティーパーティーは、5回目頃から10名ほどが参加するようになり、かなりにぎやかになっていった。ティーパーティーのメインイベントは、1か月のあいだに集めた古着や靴《くつ》、バッグ、アクセサリーなどを敷物《しきもの》の上に広げて、参加者たちで分けあうことだ。それらは公園で開かれるフリーマーケットで古着や中古品を売っている人たちから売れ残りを譲《ゆず》ってもらったもので、まだ十分に使えるものばかりだった。自分の体に服を合わせて見せあったり、ふだん履《は》かないハイヒールを履いてよたよたと歩いてみたりして、大笑いした。また、お菓子をつまみながらお茶を飲んで、最近あったことや、村の噂話、近所との関係、仕事のこと、食べ物のことなどをおしゃべりした。テント村中に聞こえるほど大騒《おおさわ》ぎして楽しんだり、頭をつきあわせてこそこそ話しこんだり、そういった女性たちの集まりをテント村の人々に見せることはとても大切だった。さらに、参加者たちにとっては、暮らしの中の不安を語りあいながら、男性ばかりの中で生活する緊張から解放されていく場となった。

このティーパーティーが開かれるようになってからも、テント村での性差別や性暴力がなくなることはなかったが、女性たちの集まりは「何かあったらわたしたちは黙《だま》っていない」という空気をコミュニティの中にただよわせたように思う。このテント村で「身を守るため」と言って隠《かく》れたりすることなく、自分自身として暮らしていくために、わたしにとって女性のためのティーパーティーは不可欠となった。

郷田《ごうだ》さんに謝《あやま》らせた黒崎《くろさき》さん

女性のためのティーパーティーを通して、それまでは見えなかった女性ひとりひとりの存在が見えるようになり、関係性が生まれて活発に響《ひび》きあうようになったことは、テント村の大きな変化だ。

黒崎《くろさき》さんはこの村に暮らして20年のベテランホームレスだ。彼女を知らないテント村の住人はもぐりではないかと言われるほど、多くの住人が彼女と知り合いだ。テント村歴30年の人をさしおいてそう噂されるのは、黒崎さんは毎日、公園中を歩きまわり、たくさんの人たちに声をかけているから。公園に住みはじめた新しい人のことや管理事務所の職員のプライベートなこと、支援者や教会のボランティアの人たち、公園内の売店の店員さんのことなど、彼女の情報は多岐《たき》にわたる。

ある日、黒崎さんが「郷田《ごうだ》さんに殴られた」とやってきた。郷田さんは黒崎さんと友だち同士で、あるグループのボスだという。黒崎さんのテントを郷田さんが訪れた時、口論になり殴られたらしい。意見がちがうということで殴る人が近くにいるなんて、わたしは本当にうんざりした気分になって、何かできることはないか考えた。黒崎さんは、郷田さんに殴られたことをまわりの多くの人たちに伝えて自尊心をとり戻《もど》そうとしたけれど、「郷田さんがそんなことをするなんて黒崎さんがよほどのことをしたんじゃないか」とか「愛の鞭《むち》だよ」と言う人までいて、なぜ暴力を問題視しないのかとわたしはとても腹立たしかった。黒崎さんとわたしは何人かについてきてもらって、郷田さんに「あなたがやったことは暴力なので謝《あやま》ってくださ い」と言ってみた。すると郷田さんは黒崎さんに「もうあんたを殴らない。約束する。俺《おれ》も男だ、約束したことは守る」と言って謝った。郷田さんは「男らしさ」という自らの流儀《りゅうぎ》で謝ったのであり、法律などで縛《しば》られるより、自分が大切にするものに自ら誓《ちか》うほうが自主性がある。黒崎さんはさっそく「もうやらない、約束するって言ってた」とみんなに言いまわった。これで郷田さんの約束はテント村中に知れわたり、みんなにその約束が試《ため》されることになって、郷田さんの縛りになった。ティーパーティーでは、郷田さんに謝らせた黒崎さんにみんな感心して、黒崎さんを口々にほめたたえた。それで黒崎さんは少し自尊心をとり戻したようだが、みんなの言葉にそれほど同調はせず、この約束もいつか「男らしさ」によって破られるのだろうというあきらめの気持ちも拭えないようだった。

ひとりで自由に暮らしつづけたい

快活なおしゃべりで人を惹《ひ》きつけながら、ときどき針でちくりと刺《さ》すような言葉を投げかける香取《かとり》さんの意地悪も、理不尽《りふじん》な出来事を未然に防ごうとするふるまいなのかもしれない。とても仲良しになった人にさえ意地悪をして、けんか別れするということをくりかえしていた。香取さんは、初めて公園に自分の場所をつくった時は「やったー！　自由だ！」と幸せな気分だったと、当時のことを話してくれた。今は、死ぬまでこのままここでひとりで暮らしつづけたいと願っている。

ある日、いつも洗い物をしている水場で香取さんに会った時、最近、管理事務所が公園を出ていくよう言ってくることについて、困ったね、とわたしが話を持ちかけると、香取さんはいたずらっぽい笑みを浮《う》かべて「そんな時はこう言ってやるのよ。女がひとりで生きていくのは大変なのよ！　あんたたちにはわからないでしょうけど！　って」と、ブクブクとシャボンのついたスポンジを握《にぎ》りしめて言った。そして、公園からアパートに移ったものの地域になかなかなじめず、沈んだ気持ちでテント村を訪ねてくる元住人を遠くに見つけて「あらまた来たの!?　やっぱりここのほうがいいのでしょ。オホホホホ」と得意げに大きな声で高笑いする。一方、ここに住んでいる人のことを自分も含めて「ろくでもないのよ、ここにいる人間は。でもわたしは100まで生きてやる！」と投げやりに話す時もある。

以前、香取さんは何かの事情で死のうと思ってさまよっていたところ、このテント村の暮らしに出会って生きのびることができたと話していた。しかし、ひとりでホームレスでいる女性は、同じテント村住人からの暴力にも、外の人々からの暴力にもさらされやすい。また、ホームレスの無惨《むざん》な姿ばかりを報道するメディアや、管理事務所や行政の職員の侮蔑《ぶべつ》的な態度を通して、ホームレスへの哀《あわ》れみや軽蔑を日々見せつけられる。どうしたら、香取さんがここで経験的に感じとっている自由や暮らしやすさという新しい価値を、自身の尊厳を守りながらつかむことができるだろうか。何を言われてもいつも強気な態度で言い返す香取さんだが、その言葉は女がひとりで生きていくことの大変さが骨身にしみている重いものだ。

ジュンコさんが生きられる場所

ジュンコさんは、テント村で最も生き生きと暮らした女性のひとりだ。髪《かみ》はキャラメル色で時々ミニスカートをはいて、毎朝、公園のごみ箱の中をのぞいて、何かないか探していた。いや、ごみ箱の中の世界を探検していたのかもしれない。木製の落としぶたに彫刻《ちょうこく》をしてレリーフを制作したり、エレキギターをガシャガシャと奏《かな》でてみたり、ある時は青い振《ふ》り袖《そで》を着て自転車に乗って街に出かけていった。土にみかんの皮や光る物を混ぜいれて植物を植え、「研究をしている」と話していた。彼女は占《うらな》い師でもあり、石でできた手づくりのカードを使って仕事をしていた。わたしはジュンコさんのバイタリティーあふれる生活っぷりに目を奪《うば》われていた。夜になると、彼女の小屋から叫《さけ》んでいる大きな声が聞こえてきた。幻覚《げんかく》や幻聴《げんちょう》とつきあいながら暮らしているようだったが、テント村にはこのように大きな声で叫ぶ人はほかにもいたので、近所の人たちはたいして気にしなかった。何度か入退院をくりかえしていたが、管理事務所の職員が公園を出ていくよう強く説得し、とうとう彼女は施設へ行くことに決めた。

しばらくして、施設に住むジュンコさんが絵を描く会に遊びに来た。薬を服用しているためか、すっかり別人になったように静かだった。「ここはいいところよ」と、まわりの木々を見て深呼吸をしながらしっとりと言っていた。ひさしぶりに会ったテント村の住人が「ジュンコちゃん、死んだかと思ったよ」とにっこりして冗談《じょうだん》を言うと、ジュンコさんは「死にたいわ」とひとこと、落ち着いた表情で冗談のように返事をしていた。施設での暮らしは食べ物や天候などに悩《なや》まされることもなく、困らないが、何もやる気が出ないと話していた。人が生きるということはどういうことだろう。わたしはジュンコさんがテント村に帰ってくるのを心待ちにしている。

親方のつきまといをみんなで撃退《げきたい》する

お互いへの共感を重ねると、仲間意識が強くなっていく。ティーパーティーに参加していた人たちは、時には感動的に団結力を発揮することもあったが、それぞれ仲間恋《こい》しさに渇《かわ》きながら、お互いに対してとても厳しい基準を求めるようにもなっていった。わたしはどのタイミングでそうなったのか気がつかなかったが、ティーパーティーに来ていた女性たちのあいだに2つの派閥《はばつ》が形成されていたのだ。どうやら、ささいなことですぐに仲たがいするようで、派閥のメンバーは毎月入れ替《か》わっていった。仲たがいの理由は、たとえば、前回のティーパーティーでおしるこを誰が多く食べたかとか、そういうことだった。わたしにはその基準はまったく予想できなかった。ティーパーティーは、3つに増えた派閥のメンバーと「無所属」の人たちが丘の上に集結する日となった。楽しいおしゃべりの場となるのを期待していたのに、実際は、ある派閥が対抗《たいこう》する派閥のメンバーをブラックジョークであざ笑い、笑われた派閥のほうはじろりとにらんだりするというありさまで、主催《しゅさい》者のわたしはずっとはらはらしていた。それでも、毎月必ずみんな参加していて、彼女たちにとって何か形容しがたいとても重要な場になっているようだったし、言葉少ない無所属のひとりは、実はそれらのバトルを毎月楽しみにしていると言うので、わたしはこれもひとつのコミュニケーションなのだろうと理解するようになった。

ティーパーティーに参加したくないと言うほとんどの女性たちの理由は、こういった悪口の言い合いがくだらないと感じるからだ。ところがある日、屋台の仕事をしているある女性が、屋台の親方につきまとわれて困っている、とティーパーティーに話をしにやってきた。彼女はそれまでティーパーティーに参加したことがなかったが、彼女が親方の様子を話しだすと、どの派閥の人たちも真剣《しんけん》に聞き入り、本領発揮といった具合に日ごろ鍛《きた》えあげた毒舌《どくぜつ》でその親方を批判しあった。その日は対応策の案が出されるだけで終わったが、2日後、ひとりの提案によって、対策を練るための「緊急・女性のためのティーパーティー」が計画され、招集がかかった。そこで決まった対策は、毎回ちがうメンバーが彼女の親戚《しんせき》に扮《ふん》して屋台に通い、「いつもお世話になっています」とかわるがわる親方に挨拶《あいさつ》することを続けるという作戦だった。彼女がひとりではないことを見せつける戦略だ。ティーパーティーで分けあったハイヒールの靴や、つばの広いマダム風の帽子《ぼうし》などを使って思い思いに変装し、作戦は遂行《すいこう》された。みんなが熱意を持って作戦にとりくみ、盛りあがって楽しんだ結果、親方のつきまといはなくなり、彼女は仕事を辞《や》めることもなく済んだ。この大成功にみんな充実感《じゅうじつ》に満たされ、大満足だった。その後、彼女がティーパーティーに参加することはなかったが、それは誰も気にしていなかった。

ティーパーティーは気軽に相談できる場としてテント村の女性たちに開かれ、女性たちはいつも参加しなくても、あるいはお互いに気が合わないとしても、この村で女性という同じ立場の者としてつながっていることを感じていた。彼女の「助けてほしい」という声を引き出すことができたのは、ティーパーティーに参加していたそれぞれが、自分たちを守るのはすぐに裏切ってくるような外部の腕力や権力ではなく、心を開くことができて気軽に相談できる自主的なネットワークだということがわかっていて、自分たちの力を信じていたから、そしてそれがほかの女性たちにも伝わっていたからではないかと思う。

しかし、アパートへの移行事業が始まり、女性たちもばらばらにアパートに移っていった。出ていったあとも、何か忘れ物をしたかのように、幾度《いくど》も自身が住んでいた場所を見に来ていたけれども、数年後、次第に来なくなった。

2章 ホームレスでいること

恵《めぐみ》さんは公園にテントもあるが、
そこを拠点《きょてん》に街のあちこちに休める場所がある。
それは旅でもなくて、
homeless《ホームレス》 でありながら
homefull《ホームフル》 なんじゃないかと思う。

家を持たないホームレスの人々は、
公園のほかにも
地域のさまざまな場所で暮らしている。
しかし今の社会では、
ホームレスを見えなくし、
なくそうとする動きがますます強まっている。
それは、なぜだろうか。

2章では、公園や路上でのホームレスの暮らしと
ホームレス女性たちの集まり「ノラ」のこと、
そして、街の再開発とホームレスの追い出しや
ホームレスへの襲撃《しゅうげき》について語る。

公園や路上での暮らし

ホームレスの人たちをどんなふうに見ているだろうか。怖《こわ》いと感じているかもしれない。孤独《こどく》に見え、不安な気持ちになるかもしれない。その恐怖《きょうふ》はどこから来るのだろうか。駅や路上、公園で人が寝《ね》ている姿の何が怖いのだろうか。得体《えたい》が知れず、コミュニケーションができないのではないかと思えて、「怖い」とか「孤独そうだ」「不安だ」と感じるのだろうか。

孤独に見えるとどうして不安を感じるのだろうか？ 不安はとても大事な気持ちだ。ひとりで自分自身のことを見つめ、考えることは孤独な作業だ。家族や学校、会社の中で役割や人間関係から離《はな》れ、ひとりになって孤独な状況《じょうきょう》を味わうようなこともあるだろう。それは不安も感じるが、そこに自由があるのかもしれない。

一般《いっぱん》的な「家」に住んでいないホームレスの人たちは、公園だけでなく、歩道の脇《わき》の緑地部分や、高速道路や線路などの高架下《こうかした》、河原、防風林などにテントやブルーシートの小屋をたてて暮らしていたり、小屋やテントのない人も、駅や道路、公共施設《しせつ》の軒下《のきした》など、その他さまざまな場所で生活をしている。また、ネットカフェなどを日常的に寝《ね》場所としている人たちもいる。それぞれ、その場所がどう管理され運営されているかに応じて、工夫しながら生活を営んでいる。

ここでは、わたしがホームレスの暮らしの中で経験したことや同じホームレスの友人たちのこと、そして、社会のあり方や街の変化に影響《えいきょう》されるわたしたちの暮らしについて記してみたい。

移りかわる季節の中で

アスファルトやビルからの熱が木々で遮断《しゃだん》されたテント村には、新鮮《しんせん》な空気が流れてくるし、車が行き交《か》う音はさほど気にならない。この森の中で、それぞれの季節を感じながら静かな時間を過ごしていると、なんてこの世界は美しいのだろうかと思ってしまう。

ちょうどこれをテントの中で書いている4月の今、出入り口から見える新緑の光がわたしを外へ誘《さそ》い出す。1か月前はブルーシートでふさいだ小屋の中で、猫《ねこ》を抱《だ》いて毛布にくるまっていたが、徐々《じょじょ》に暖かくなってきて、1枚ずつシートを剝《は》がして外に出る時間も増えてきた。春のテント村はとてもまぶしい。地面全体から新芽のエネルギーが湧《わ》いてくるような空気に包まれる。毎朝、公園の水道で水をくむために、黄色や白の小さな野花が咲《さ》く小道を歩き、若葉の香《かお》りに体を浸《ひた》す。野イチゴ、ノビル、ヨモギ、オオバコ、タンポポの葉など、都心でも食べられる植物が自生していて、新鮮な食べ物を摂取《せっしゅ》できるのは体にいいような気がする。今朝も、タンポポのやわらかそうな葉をほんの少しつんで口に入れてみた。なかなか筋が強く苦味がきいている。ここで育った独特な味にちがいない。

桜が咲く頃《ころ》は、公園周辺のホームレスにとって特別な仕事の時期だ。公園にはたくさんのお花見客が集まるので、公園内のごみ箱をまわるだけで大量のアルミ缶《かん》や、封《ふう》のあいていない食べ物、飲み物、そして敷物《しきもの》に使われていたブルーシートなどを拾い集めることができて、毎年大収穫《しゅうかく》になる。休日には数万人も集まって宴会《えんかい》がくり広げられ、ごみが山積みになって、公園のごみ箱が丸ごと埋《う》まってしまうほどだ。ホームレスの人たちがごみ箱の中から、まだ使えるものや未開封の物などをより分ける作業をする。花見客がほろ酔《よ》いで帰る際に「これどうぞ」と余った食べ物や飲み物を手渡《てわた》してくれることもしばしば。ホームレスの人のなかには、このあたりは俺《おれ》がやってるんだぞと、縄張《なわば》りのように言うややこしい人たちもいるが、そんな人を適当にかわしていいものを探しあてる。わたしは小さな折り畳《たた》みの椅子《いす》を見つけた。ある住人は、雨が降りはじめた時や、気温が下がりはじめる頃など絶妙《ぜつみょう》なタイミングを見計《みはか》らって出動するらしい。たくさん集めることができた時は、エノアールへお菓子やピザなどを持ってきて、よし！　今からみんなでパーティーだ！　とパンッと手をたたいて得意げだ。

雨に濡《ぬ》れて緑が濃《こ》くなる森の風景にブルーテントの色が映《は》える梅雨《つゆ》の時期は、テントの中は蒸《む》し暑く、眠《ねむ》りにくい日が続く。夏の猛暑《もうしょ》の厳しさはどうにも耐《た》えられず、日中は図書館やほかの公共施設などで過ごすことが多い。テントには冷蔵庫もないので、食べ物は腐《くさ》りやすく、鍋《なべ》で炊《た》いたごはんはすぐに食べ切ってしまわなければならない。台風がやってくると、自分のところにもほかの住人のところにも、木が倒《たお》れてきたり枝が落ちてきたりしませんように、深刻な被害《ひがい》にならずに無事に通りすぎますようにと、枕《まくら》を頭にかぶせて祈《いの》るしかない。

秋もまた豊かな季節だ。天気がいい日には、紅色や黄色に染まった落ち葉を眺《なが》めてうっとりする。屋外で暮らしていると、そんな時間を逃《のが》すこともない。

東京の冬は氷点下になることは少なくても、雨に打たれるなどして服が少しでも濡れてしまうと体温が奪《うば》われ、凍死《とうし》する場合もある。

野宿の生活は季節の変化に大きく影響される。近年の大雪、豪雨《ごうう》、猛烈《もうれつ》な台風や酷暑《こくしょ》など、気候がこれまで経験したことのないような厳しいものに変わってきていて、野宿の生活の脆弱《ぜいじゃく》さを身にしみて感じているところだ。

高齢《こうれい》の人や体に負担がかかりやすい人はもちろんのこと、ホームレス生活をしている誰《だれ》にとっても、屋外での暮らしは年々厳しさが増している。雨風をしのぐためにわたしたちが気兼《きが》ねなく避難《ひなん》できる場所を見つけたい。

仕事をする、仕事をつくる

わたしの隣《となり》に住んでいるケンさんは、アルミ缶を集めてリサイクルする仕事をしている。夜に街をまわって、ビニール袋《ぶくろ》いっぱいにアルミ缶を拾い集めて帰ってくる。飲食店の人やマンションの管理の人が協力してくれて譲《ゆず》ってもらうこともあるようだ。同じテント村の同業者の人たちは、広い範囲《はんい》でよりたくさんのアルミ缶を集めるために自転車や台車を使っているが、ケンさんは歩いて拾い集め、ビニール袋に詰《つ》めて手に持って運ぶ主義だ。台車を使うほうが楽で、たくさん集められるのではないかと思うが、ケンさんは「リハビリを兼《か》ねている」と言っていて、どうやら若い頃は力持ちだったが年齢とともに筋力が落ちているので、少しでもとり戻《もど》したいという気持ちのようだ。ケンさんはこのやり方で仕事を毎日続けられるように、日中も大きな石を持って足腰《あしこし》を鍛《きた》える筋トレをするなどエクササイズも欠かさない。

日雇《ひやと》いの仕事をしている人たちは、業者に電話をして仕事がないか聞き、仕事があれば朝早くから出かけていく。日雇い労働者の鈴木《すずき》さんの仕事は、建設現場などでの掃除《そうじ》やかたづけなどだ。鈴木さんは、仕事が毎日入らないようで、「若いのがやる。年寄りにはないよ」とぼやく。仕事がない日は、テント村や公園を散歩している。そんな日がしばらく続くと、炊《た》き出しの列に並んでいる鈴木さんの姿を見かける。

テント村の住人の中には、自分で仕事をつくっている人たちもいる。犬の散歩の代行や、お店のまわりの掃除、ペットのえさやり、銀杏《ぎんなん》を拾って売る人もいるし、ほかにもさまざまな仕事をつくって、現金収入を得ている。よくほえる大きな犬を散歩させている姿などを見かけると、なかなか大変な仕事だなと思ってしまう。

わたしも自分で仕事をつくってみた。台風など嵐《あらし》の去ったあと、落ちている枝を拾って削《けず》り、お箸《はし》などをつくって売る仕事だ。布に版画で絵をプリントして、お箸袋もつくってみた。これらはイベントや集会などで販売《はんばい》させてもらっている。木の枝のお箸は少し曲がっていて使いにくいが、桜の枝でつくるととても趣《おもむき》があり、なかなかの評判だ。しばらくこのように拾ったもので何かをつくって売るという仕事もやってみようと思う。

街の中で眠る

かつてわたしが暮らしはじめた頃とは状況が変わり、今は東京都がこれ以上テントや小屋を増やさないようにと厳しく管理していて、管理事務所の職員や警備員が園内を毎日見まわっている。昼間に広場でのんびりと横になっているだけでも、管理職員がやってきて「ここで寝るな」と声をかけてくるほどだ。そのため、新しくホームレス状態になった人たちは、ベンチで座《すわ》ったまま眠るか、広い公園の中で人目につかない場所を探すことになる。

夜の街でも、どこでもいられるわけではなく、眠れる場所を探さなければならない。終電が過ぎたあとの駅や、閉館後のスタジアムや公共施設などの建物の軒下、最終バスが行ったあとの屋根のあるバス停のベンチ、高速道路や線路のガード下など、少しの雨ならしのぐことができる場所に段ボールやシートを敷《し》いて眠る。固い地面の上ではあるが、追い出されない場所を見つけて、何人かで集まって眠れば、通行人からの嫌《いや》がらせや襲撃《しゅうげき》も少しは防げる。

路上で暮らす人たちは、排気《はいき》ガスや塵《ちり》にまみれてしまう。通行人たちの眉《まゆ》をひそめるような視線に居心地の悪さを感じながらも、ほかに行くところがないので、そこにいる。野外で火を使うことは制限されているので自炊《じすい》することは難しく、炊き出しを利用する人も多い。炊き出しなどでは、同じような生活をしている人たちと会うことができる。特に言葉を交《か》わすことはなくても仲間の存在は心の支えだ。

ホームレスでありホームフル

わたしが炊き出しで出会ったゆみさんは、もう何年ものあいだ、夜は大きな駅ビルの軒下で寝ている。以前、性暴力に遭《あ》ってから、横になって寝ることができなくなり、何かあったらすぐに立ちあがって逃《に》げられるように壁《かべ》にもたれて座ったまま眠っている。行政に紹介《しょうかい》された施設に移ることもあるが、しばらく暮らしたあとでまた路上に戻ってくることを何度かくりかえしている。施設では閉じこめられたような気持ちになり、ゆみさんにとって居心地が悪いようだ。ひさびさにわたしのと

ころを訪ねてきて「また出てきちゃったんだよ」とタバコをくゆらせている。自分を責めるような気持ちもあるようだ。でも「こうしているほうが気楽でいいよ」と言うピリッとしたトーンの声には、保護され管理されるのは嫌だという気持ちが含《ふく》まれているように聞こえる。外が見えないからおっかない、と言ってテントで寝ることも拒《こば》んで、駅ビルの軒下で寝たり、アーケードのある商店街のシャッターが閉まった店の前で寝たりしている。ゆみさんは、安心していられる場所はまだ見つかっていないが、さまざまな場所を転々としながらこの街で暮らしている。

炊き出しの場でいつも誰かとおしゃべりしている恵《めぐみ》さんは、公園の片隅《かたすみ》にテントをたてて荷物を置いているが、雨の時以外は一日のほとんどを外で過ごしている。いろんな地域の炊き出しに行って、友人とおしゃべりをして、そのままそこで野宿していくこともあるし、日雇いの仕事が早朝からある時は、前の晩から集合場所の近くで野宿をすることもある。どこでも寝られるなんてすごい、とみんなに一目置かれているが、実は恵さんはどこでも寝られるわけではなく、野宿する場所をよく考えて選んでいるようだ。まず、もちろん追い出しが厳しくない場所を探しているだろう。管理の網《あみ》が張りめぐらされている都市でそのような場所を見つけるのは難しい。そして、近くに知り合いがいる場所をいつも選んでいるのは、ひとまず安心だからだろう。でも知り合いだからといって近づきすぎないことが大切だ。また、道に迷うことの多い恵さんは、慣れ親しんだ路上や炊き出しが行われる場所の近くで野宿することが多い。

恵さんは公園にテントもあるが、そこを拠点《きょてん》に街のあちこちに休める場所がある。それは旅でもなくて、homeless《ホームレス》でありながらhomefull《ホームフル》なんじゃないかと思う。時には、帰る家があるお友だちが恵さんと夜遅《おそ》くまでおしゃべりをして、結局、恵さんの横で野宿していくこともある。

「自分はここにいてもいい」という感覚

ホームレスの生活の中ではたくさんの理《り》不尽《ふじん》な出来事が起こる。石を投げられる。生ごみや汚物《おぶつ》を洗濯物《せんたく》に投げつけられる。性暴力に遭う。通行人や管理事務所の職員からののしられる。公共の場で料理をすることを禁止される。極寒《ごっかん》の中、小さな焚《た》き火をしようとしても管理事務所の職員に消されてしまう。警察に暴力の被害を訴《うった》えても「嫌なら公園から出ていけ」などと言われる。これらは、わたし自身が経験したことのほんの一部だ。

ホームレスが安心できる場をどのように守ることができるだろうか。

暴力をふるう側は、ホームレスだから、女だから、嫌《きら》われ者だから、汚《よご》れているからなどという理由で、そのような者は尊敬に値《あたい》しないと考えているようだ。それに応じて、暴力のターゲットにならないように、まめに掃除《そうじ》をしたり、「きちんと」「立派に」暮らしているなどとアピールしたりするホームレスの人たちもいる。さまざまな抵抗《ていこう》やサバイブのしかたがあるだろう。しかし、「ホームレスだけど本当はいい人だ」とか「ホームレスではあるが尊敬に値する」などという言葉の下《もと》に加害のターゲットにならないようにしていると、足元をすくわれる。こういった言い方によって、「尊敬できない人は暴力を受けてもしかたがない」という理屈《りくつ》がまかりとおってしまうからだ。

部屋に鍵《かぎ》をかけて身を守るような既存《きぞん》のセキュリティは、ホームレスの生活では機能しない。それに、部屋に鍵をかけられる家や施設ではなく路上にいることを選ぶ、それぞれの理由や事情があるのだ。この街で生活している女性ホームレスから学んでみると、ゆみさんは、隠《かく》れるのではなくむしろ人通りの多く夜も明るい場所で座って眠る。恵さんは、一箇所《かしょ》だけではなく複数の寝場所や居場所をつくっている。寝場所を特定されないように、そして一緒《いっしょ》にいる人と近くなりすぎないようにして、自身を守っている。

「自分はここにいてもいい」という感覚をほんの少しでも自分でつかめる場が安心できる場だ。ホームレスでいることは安全性が高くはないけれども、女性ホームレスたちは、できるだけ安心できる場をつくることをあきらめているわけではない。それぞれ安心できる工夫を、常に試《ため》しながら過ごしている。

ホームレス女性の集まり「ノラ」

路上や公園にいる女性たち

ホームレスの女性たちの集まり「ノラ」を始めたのは、テント村の多くの住人たちが東京都のホームレス対策の事業（＝17ページの「ホームレス地域生活移行支援《しえん》事業」）によって紹介されたアパートに移り、住人が激減した頃だ。テントパーティーに集まっていた女性たちも、徐々《じょじょ》にテント村を出ていった。住人が少なくなるにつれて物を分けあい助けあうつながりが弱まっていくテント村に、このまま住みつづけるという選択《せんたく》はなかったのかもしれない。

一方、この事業がテント村をなくすための都のとりくみのひとつだった以上、残った住人たちにとっては、それまでどおりテント村での生活を続けること自体が、行政に対して抵抗するということになった。それまで数百人も住んでいた大きな場の力は弱まったが、その代わりに、残った住人たちは自分たちの真ん中に芯《しん》ができたような固い気持ちで、ここに居つづけることになった。

きっと先人たちもいくつもの追い出しに抵抗し、テント村を守りつづけてきたのだと想像する。お金をたくさん持たない貧しい者たちが生きていけるような場を先人たちはここでつくってきたし、わたしもそれにとりくみたいと思っている。

そのためには仲間が必要だ。ホームレスの生活をどうやって維持《いじ》できるのか、公園だけでなく路上にいる女性たちも含めて、ほかの女性ホームレスたちと話しあいたい。そうしてわたしは、女性ホームレスが安心していられる場所をつくるために、家を出て路上や公園にいる女性たちのグループ「ノラ」を立ちあげた。

圧倒《あっとう》的に男性が多いホームレスの中で、女性の存在はとても目立つ。炊き出しの列に並んでいる時などに通行人のものめずらしそうな視線を受けるのは、決して心地がいいものではない。少しでも落ち着いて食事ができるように、わたしは「ノラごはん」という食事会を自分のテントの前で開いている。女性ホームレスたちで集まり、ごはんをつくって食べて、最近あったこと、食べ物や炊き出し、寝る場所のこと、最近気になっていることなどをおしゃべりして情報交換《こうかん》をしている。

この「ノラ」という名前は、野良猫《のらねこ》などの「野良」という意味でもあり、イプセンという劇作家の戯曲《ぎきょく》『人形の家』の主人公の名前「Nora」にも由来している。この物語でNoraは、夫から愛されていると感じていたが、実はひとりの人間としてではなく人形のように扱《あつか》われていたことに気づき、最後には夫も子どもも置いて家を出る。ひとりで家を出たNoraは、わたしたちだ。

ここで「ノラ」のメンバーを紹介したい。

Uさんは、ほとんどNoraそのものだ。成人した子どもや夫との関係がうまくいかなくなり、Uさんはひとりで家を出ることにした。家を出た時のことを話す時、Uさんは両手を勢いよく広げて、パーッと出てきたのよ、と晴れ晴れしく話す。家を出たあと、パチンコ店の住み込《こ》みの仕事に就《つ》いていたが、突然《とつぜん》失業してしまう。家には帰れず、所持金は部屋を借りるにはまったく足りない。Uさんは今後どうすればいいのかわからないまま電車に乗り、東京駅にたどりついた。夜行バスを宿代《やど》わりにすることを思いつき、あちこち旅をするように移動してとても楽しんだ。しかし、とうとうお金がなくなって、駅周辺のベンチで寝ることにしたという。そしてそこで出会った人と一緒《いっしょ》に、この公園のテント村に移り住むことになった。テント村で同じホームレスの人や大きな犬との暮らしを経て、その後は、動物を保護するグループの手伝いをして少しの収入を得ながら、ひとりでテント暮らしをしていた。

ノラのひとりひとりにとって、路上や公園が家からの逃げ場だったし、そこで自分の精神と身体のことにようやくとりくめたのだった。

布ナプキンの制作と販売《はんばい》

路上で暮らしていても、悪天候の時や体調が思わしくない時は、どこか室内で過ごしたい。特に夜にいられるところは少なく、24時間営業しているファーストフード店やファミリーレストランなどを利用するにはお金が必要だ。そのため、できることなら働いて現金収入を得たいと思っているノラたちは多いが、安心して働ける仕事はなかなか見つからない。多くの仕事は、携帯《けいたい》電話が必要で、すでにたくさん経験がある人が優先されて雇われてしまう。アルミ缶集めなどのリサイクルの仕事は、集めた物の置き場が必要で、自分の荷物さえ置いておく場所がないノラたちには難しい。たくさんのお金は必要ないが、必要なだけのお金を得られてそれぞれの生活にあう仕事をいつも探している。

ノラの布ナプキン活動は、大きな駅の屋根のある場所で寝ているゆみさんに、わたしがつくった布ナプキンの販売《はんばい》を手伝ってもらったことがきっかけとなって始まった。ノラの布ナプキンは洗って何度も使える月経用の布ナプキンだ。わたしがデザインと制作、営業を担当した。ゆみさんが販売員だ。集会やイベントなどでノラのブースを出して販売した。底抜《そこぬ》けの笑顔で「買って!」と訴えるゆみさんのストレートなアピールは大人気だった。常連さんからゆみさんへの差し入れも届いたほどだ。

月経用の布ナプキンをホームレス女性がつくり、販売することで、女性が路上で生活することを想像してもらいたいと考えた。もちろん、月経のあることが「女性」を意味するわけではないが、少しでもホームレス女性の体のことを考えるきっかけになってほしかった。また、ホームレスが衛生用品をつくるということで、「ホームレスは汚《きたな》い」というイメージに抵抗するとともに、無菌《むきん》であること、清潔であることを過剰《かじょう》に求める世の中の傾向《けいこう》にも抵抗したかった。

ノラの制作チームに加わって、創作意欲にあふれて活躍《かつやく》したのはD子さんだった。D子さんは、テントや小屋を持たずに街の中で暮らしている。D子さんがなぜ路上の暮らしになったのかは誰も知らない。ひとりでいることが好きなように見えるが、実は時々、空想の中にいるのか、まわりの人たちには見えない誰かと話していることがある。ノラで集まっている時も、ほかのみんなとおしゃべりをしながら、頭上を飛ぶカラスにも話しかけている。何が見えているのか、聞こえているのかわからないけれども、そういったD子さんの世界を、彼女《かのじょ》がつくる布ナプキンのデザインに垣間《かいま》見ることができる。ビルの軒下や公園のベンチで作業するD子さんが担当しているのは、大中小の3種類の大きさのマトリョーシカ布ナプキンセットだ。D子さんが布ナプキンをつくると物語が生まれる。魔女《まじょ》とコウモリと魔女の館《やかた》、ライオンと暮らすサバンナの人と動物たち、お城で眠る三姉妹、サリーを着たインドの姉妹。だるい気分でつくったので名づけて「妖精《ようせい》ウダウダ」というデザインもある。D子さんが毎週持ってきてくれるたびに、わたしはとても幸せな気持ちになる。

ノラの布ナプキンを使うと物語が始まる。どんなにかわいらしくても、必ず血まみれになり、それでも使用後にそっと丁寧《ていねい》に洗われて復活をとげるというストーリーだ。これを使うことでノラの厳しい生活を少しイメージできるかもしれない。

ノラごはん

トランスジェンダーの人たちにとっても、シスジェンダー男性[5]が圧倒的に多い炊き出しは利用しにくい場となっている。ノラのビラを配る時も、その人のジェンダーをどのように尋《たず》ねたらいいのか、いつもとても悩《なや》んでしまう。

ある炊き出しで会った人が「自分のことは『おっちゃんおばちゃん』と呼んでくれ」とうれしそうだけど少し慎重《しんちょう》な表情で答えてくれた。女性ホームレスが集まる場だけれども、もし嫌《いや》でなければ来てほしいと、わたしがノラへ誘った時だ。

おっちゃんおばちゃんは、ノラごはんに来てくれるようになった。宝塚《たからづか》が大好きで、炊き出しでもらったパンを差し入れに行き、会場の裏で俳優さんたちが出てくるのを待ちつづけたという楽しい話や、精神的に追いつめられ死のうと思ってさまよって歩き、気がついたら野宿をしながら関西まで行っていたというサバイブをおもしろく語るおっちゃんおばちゃんの話に、みんなは釘《くぎ》づけになった。

炊き出しの場では話す機会がなかなかないが、「ノラごはん」ではそれぞれがこの街で経験してきたことをお互《たが》いに話しあう。これまでどう生きのびてきたのかを話す人もいる。まったく話さない人ももちろんいる。7、8人ほどの小さなごはん会で、それぞれの痛みや嘆《なげ》きを聞き、またホームレス生活での楽しいことを話す場があることは、わたし自身もとても安心できる。

❖5 「トランスジェンダー」は、出生時に認定された性別と、自分が自分の性として認識している性別とが異なること。「シスジェンダー」はその2つが一致《いっち》していることをいう。このような呼び方は近年一般的になってきたが、自分のジェンダーを呼ぶ言葉を持っていない人も少なくない。あるいは、「おっちゃんおばちゃん」のように自分独自の呼び方を使っている人もいる。ノラは女性ホームレスの場として紹介していて、トランス女性も参加している。

夜のノラ

複数の人と話をすることが苦手だという理由でノラごはんに来ない女性も多い。ノラの会で分けあったものを届けるために、わたしは路上にいる女性たちのところを訪ねて行くことがある。街のビルの軒下や駅周辺の地下で過ごしている女性たちの生活は、テント村の生活とはまったくちがう。とても警戒心《けいかい》が強い彼女たちは、なかなか人を寄せつけない。それが路上でひとりで生きるための身を守る方法なのだろう。何度も会いに行っても、あまり話をしない人もいるし、転々と移動するので見つけられない時もある。

最近公園のベンチで寝ていた女性が、ここ数日見あたらなくなった。何か嫌な目にあったりして、ちがうところに行ったのだろうか。夜の街を探し歩いていると、比《ひ》較《かく》的若い世代のノラのかおるさんに遭遇《そうぐう》した。「こんばんは。どちらへ?」と尋ねると「この時間に歩くのが好きなんです」と話してくれた。ショッピングモールや通りのお店が閉まって静かになった夜の街は、歩きやすい。少し一緒に散歩した。夏の夕涼《すず》みだ。ネオンの光も心なしか穏《おだ》やかだ。信号のところで別れ、それぞれの寝場所へ帰った。ほかのノラのみんなも無事に過ごしてほしい。

街の再開発とホームレスの追い出し

眠る場所を奪われる

「毎晩、警察が来て、ここで寝るなって言って。なんでですか？って聞いても、危ないからって、出ていけって。ひどい」とかおるさんは怒《おこ》って、わたしのテントにやってきた。大事な荷物を胸にギュッと抱《かか》えて、目に涙《なみだ》を浮《う》かべていた。

かおるさんは公園の敷地《しきち》内の高台で寝ていた。２０２１年の春、新型コロナ感染《かんせん》症《しょう》のパンデミックの頃に公園周辺にやってきて、いろんな場所で横になって眠り、警備員に何度も注意されながらも、眠れる場所をようやく見つけた。警備員とは夜のあいだだけということで話をつけて、かおるさんの寝場所ができた。かおるさんがそこに寝ても特に問題が起こらないので追い出されなかった。ところが、かおるさんが寝ている場所の隣に、夏に開催《かいさい》されるオリンピック・パラリンピックのための関連施設がつくられ、あたり一帯の警察官の巡回が24時間体制で始まって、寝ているかおるさんを追い出そうとしたのだ。かおるさんは、ここはその施設の敷地ではないし、これまでも毎日ここで寝ていたし、ただ寝ているだけだから追い出さないで、と訴えた。しかし、あちこちの地域から派遣《はけん》されてきた毎回異なる警察官に出ていけと毎晩言われ、かおるさんは眠れない日が続いた。

「ここ数か月でようやく少しずつ寝られるようになったのに、こんな形で追い出されたくない」とかおるさんは疲《つか》れた顔をして泣いていた。結局、オリンピック・パラリンピックが終わるまで近くの仲間の隣で寝ることになった。眠れるようになったことはよかったが、それでも、オリンピック・パラリンピックの準備のために追い出され、理不尽な思いをした人はほかにもたくさんいたので、かおるさんのこの追い出しは公園や路上で暮らす人の多くにとって重要なことだった。みんなで、この特設施設を運営している東京オリンピック・パラリンピック競技大会組織委員会の担当者に問い合わせて抗議《こうぎ》した。

しかし、電話窓口に出てきたスタッフも、また毎晩巡回してきた警察官たちも、ひとりのホームレスの寝場所がなくなることについて、ほとんど気にとめることがない様子だった。でも、だからこそ、公園や路上で暮らすひとりひとりにかけがえのない大事な生活があることを精いっぱい伝えることが、わたしたちにとってはとても大切なことだ。

排除《はいじょ》ベンチと「安心・安全」

多くのホームレスは河原、道路、高速道路の高架下、公園、駅舎、競技場の軒下など、誰もがいられる公共性の高い場所で暮らしている。そのようなところで、ホームレスの人たちが住むことを受け入れているところはほとんどない。しかし、貧困におちいっても「自己責任だから自分でなんとかすべき」とされてしまう現在のこの社会では、家賃が払《はら》えなければ、家を出てそのまま路上にいることだってある。この社会の不平等はもうあたりまえのようになっているけれど、その究極の表れとも言えるホームレスの存在は、多くの人にとって「見たくない現実」となっているようだ。

街は、より多くのお金をかせぎ、商品や情報を消費することとの「楽しさ」「幸福」の物語を企業や行政が演出し、それを優先して再開発が進められている。その物語に水を差し、興醒《きょうざ》めさせるような存在であるホームレスに対しては、なんとか見えなくしたい、追い出したいという思惑《おもわく》が先に立ち、「安心をおびやかす怖い存在」のようなイメージだけが肥大化して伝えられているのではないだろうか。

公園を夜間施錠《せじょう》したり、横になれないよう地面に突起《とっき》物のようなオブジェをちりばめたりするのは、ホームレスの人たちを追い出すしくみだ。このようなオブジェは街中にたくさんあり、その意図はあからさまに見えているのに、見えないことになっている。人々は、あちこちにある排除《はいじょ》アートの存在から、この街はホームレスを拒絶《きょぜつ》しているというメッセージを無意識のうちに受けとることになる。

今、都市部の公園や街角にあるほとんどのベンチは、座面の真ん中に手すりや突起物が設置されている。それでも、ほこりっぽい地面に横になるよりは、ベンチで眠るほうがいい。ベンチを寝床《ねどこ》にして暮らしている野宿の人たちは、この排除ベンチに挑《いど》み、体を折り曲げて腹のあたりで手すりを避《さ》けて眠ったり、複数の手すりの上にベッド状に板を敷《し》いて横になったりしている。人は生きるためには眠らなければならないのだと体現している姿は尊く見え、そのような手すりのあるベンチは最も醜《みにく》いデザインに見える。これらのベンチが「排除ベンチ」だと批判されるようになると、東京都などの行政側は「手すりがあることで高齢《こうれい》者などが座りやすいようにデザインされている」などと説明するようになった（逆に排除ベンチをなくした自治体もある）。

行政や施設の運営会社は容赦《ようしゃ》なく、さまざまなデザインの「排除ベンチ」を次々に登場させている。ひとりずつしか座れない椅子《いす》が点々と距離《きょり》を置いて設置されていたり、大

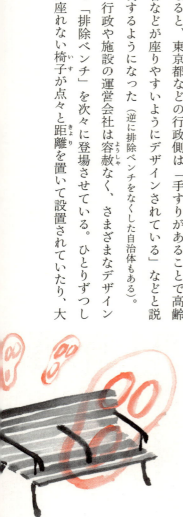

きな筒《つつ》を横倒《よこだお》しにしたようなデザインで、横になれないだけでなく、長く座れないようにしたベンチもある。

「キレイなまちづくり」のためにさまざまな活動が行われ、その時、ホームレスが住みついて街を汚しているとか、ホームレスは得体がしれないので怖いなど、治安を乱すものの代名詞としてホームレスが引きあいに出されることがある。監視《かんし》カメラが向けられるのはホームレスの寝場所だったりする。しかし実際には、ホームレスの人たちが誰かを襲《おそ》い、害を与《あた》えるよりも、ホームレスの人たちが地域の住人や若い世代の人たちから襲撃や放火をされる事件のほうが多く起こっている。

行政が「安心・安全」のためと掲《かか》げて行うとりくみについて、その本当の目的は何なのか、わたしはすっかり疑い深くなっている。

宮下公園からの追い出しと「MIYASHITA PARK」

2020年のオリンピック・パラリンピックが東京に招致《しょうち》されることが決まった2013年以降、大会関係者や観光客を迎《むか》えるために、会場周辺の街はお金もうけが中心の街につくり変えられていった。その計画のひとつに、渋谷《しぶや》区立宮下公園の改修工事があった。「東京五輪を迎えるにふさわしい公園」を目的としたこの公園の改修計画[6]では、大手不動産企業《きぎょう》が担《にな》い、敷地のほぼ全体を使って低層複合施設を建設して、1〜3階は商業施設とし、地上17メートルとなる屋上に区立公園を設置するとされていた。また、隣には18階建てのホテルも同時に新設するという。公共の公園をショッピングモールにしてもいいのか?と、公共公園のあり方そのものを根こそぎつくり変えてしまうことに多くの人たちから疑問の声があがったが、建設費用を企業が負担するので公費を節約できるとか、耐震《たいしん》性の強化だとか、オリンピックを迎えるためだからという名目で押《お》し切られ、計画は進められていった。

そして、2017年3月27日月曜日の早朝、宮下公園に区の職員と警備員、警察官、工事の作業員がやってきて、地域の人たちや公園利用者への予告もないまま、公園の全体をフェンスで封鎖《ふうさ》する作業が始まった。渋谷区の職員に公園は封鎖するから出ていくようにと言われて、ほとんどの野宿者たちは追い出された。前の晩には園内に9名が野宿していたはずだ。みぞれが降る中の、突然の追い出しだった。わたしたち野宿者は数日前に役所へ出向き、工事はいつから始まるのか尋ねたばかりだった。公園課の職員は「準備ができしだい始める」と言って、日時は知らせてくれなかった。そしてこの日、公園課の職員は後ろに大勢の警備員と警察官を引き連れてやってきた。野宿の人たちは、なぜ話してくれなかったのか、ここを追い出されたらどこへ行けというのかと訴えたが、職員は出ていけと言うだけで、質問にはいっこうに答えようとしない。答えてもらわなければここから出られないと主張する野宿の人を警備員と警察官たちがとり囲み、そのままの状態が続いた。

この突然の公園封鎖と野宿者の追い出しに対して大勢の人が公園に駆《か》けつけたが、公園のまわりに作業員がフェンスを設置し、たくさんの警察官が公園の入り口と外周に立ちふさがって、公園の中には入ることは難しかった。夕方には、公園内には野宿者ひとりと支援《しえん》者ひとりだけが残っていたが、外の歩道橋の上からは、警備員と警察官にとり囲まれた2人がフェンス越《ご》しに小さくかろうじて見えるだけだった。

そうして、すべてのフェンスの設置作業が終わった夜中に、公園課職員は、代わりの野宿の場所について翌日協議することをようやく約束した。その晩は渋谷区仮庁舎のスロープ下で眠ることを認めさせ、野宿の人は公園を出ることにした。

そのような経緯《けいい》ののちに工事が進められ、2020年に完成したのは巨大《きょだい》な複合

❖6 渋谷区と三井《みつい》不動産株式会社が官民連携《れんけい》の事業として進めた「新宮下公園等整備事業」のこと。2017年に工事が始まり、2020年に終了《しゅうりょう》、「MIYASHITA PARK」が開業した。

商業施設だった。1階には高級ブランド店が立ち並び、レストランやファッションショップなどが入った3階建ての商業ビルの屋上にカフェや広場、イベントスペース、スポーツ施設が配置され、その空間が「区立公園」ということになった。しかし夜間は鍵《かぎ》をかけられ、一般の人は立ち入り禁止となり、隣接《りんせつ》するホテルの宿泊客《しゅくはく》だけが敷地の一部に入ることができるという。実態として「公園」は、複合施設の全体を指す「MIYASHITA PARK」という名前の中にしか残っていなかった。かつての宮下公園に木陰《こかげ》をつくってくれていた大きな木々も切り倒されて、観葉植物のような弱々しい木々が植えられ、夏には灼熱《しゃくねつ》の陽射《ひざ》しがそのまま屋上の公園全体に照りつけて、昼間はまったくいられない場所となった。大手企業が開発を手がけたこの新しい「公園」は、買い物客や観光客にとっては楽しいレジャーパークとなっているが、ホームレスにはとてもいられない場所になっただけではなく、地域の住民が自由に使える場所ではなくなってしまった。

くりかえされる追い出し

宮下公園から追い出されたホームレスたちは、近くの美竹《みたけ》公園と、その隣にある渋谷区仮庁舎（第二美竹分庁舎）の2階に上がるスロープの下に移動して新しく野宿を始めていた。しかし、2年ほどが経《た》ち、今度は美竹公園が、地下にホールを建設し、隣の敷地に建てられる文化施設、オフィス、店舗《てんぽ》、そして高級マンションが入る大型複合施設とのセットで再開発される計画が浮上《ふじょう》する。

そしてまた、仮庁舎のスロープ下で野宿していた人たちに対しても、2019年6月2日早朝、おびただしい数の渋谷区職員がやってきて荷物を撤去《てっきょ》した。野宿をしていた人たちは、渋谷区から荷物撤去の警告書が貼《は》られていたので、その後どうすればいいのかについて1か月前から渋谷区職員と話し合いを重ねていた。封鎖前には次の話し合いの日程まで決めていたが、封鎖する日は知らされていなかった。荷物を撤去されてしまった野宿の人は、また、ほかの場所に移るしかなかった。

渋谷区との話し合いはまったく意味をなさない。それでも、野宿の人たちは話し合いをあきらめるわけにはいかない。それしか方法はないからだ。しかし渋谷区は、封鎖する日を事前に知らせないまま強制封鎖によって追い出すということをさらにくりかえす。

わたしたちはその後も「突然公園を閉めて追い出すようなことはしないでほしい。話し合いで解決してほしい」と何度も渋谷区に申し入れていたが、2022年10月25日早朝6時半に突然、渋谷区の職員と警備員が美竹公園に大挙してやってきて、公園の封鎖作業をおこなった。大量のフェンスが公園に運びこまれて封鎖が行われた時、公園に野宿していた人は何の作業が始まるのか区の職員に尋ねたが、誰ひとり答えなかった。そして問いかけを無視したまま、まず公園のトイレを封鎖し、水道の蛇口《じゃぐち》をとり外した。これはホームレスの人たちにとってここでの生活がもうできない、ということを意味していた。

その後、野宿の人たちはヘルメットをかぶった数人の職員にとり囲まれ、福祉《ふくし》サービスを受けるよう勧《すす》められた。福祉制度の利用は個人が選択できる権利であり、強要されることではないはずだが、利用するかどうかを自分で決めることはまるで許されないような雰囲気《ふんいき》だった。生活が壊《こわ》される作業が行われている中、福祉サービスの「案内」を断ることは難しいと感じた3名は、職員に連れられてフェンスで囲われた公園の出入り口から出て、役所の福祉窓口へ向かった。封鎖作業を進めながら、「公園からいったん出るともう公園には入れない」と職員が説明したので、別のひとりのホームレスは納得できないと言って公園にとどまった。

こうしているあいだに、渋谷区のこの強制封鎖に対して、たくさんの人が集まったが、公園の中には入れず、封鎖をやめるように外から抗議《こうぎ》した。福祉窓口に行った3名のうちのひとりは、アパートの入居について話を聞いたが、やはりテントにいたいと言って美竹公園へ戻ろうとした。また、封鎖される前の早朝に日雇いの仕事に出かけていた2人の野宿者も、午後に公園に戻った時には公園は封鎖されてしまっていた。彼《かれ》ら3人は自分の荷物があるテントに戻りたいと訴えたが、渋谷区の職員と警備員が出入り口に立ちふさがって、公園に入ることはできなかった。

園内にとどまったひとりのホームレスはそのまま残りつづけ、抗議する人たちもますます増えて、美竹公園は完全に封鎖されないままの状態で夜になった。深夜、ようやく渋谷区の職員たちはホームレスの人たちと支援者たちに「今日は出入り口を開けておくことにする。明日話し合いをしよう」と提案した。そうしてその日、締《し》め出されていた野宿者たちは公園の中に戻ることができた。

追い出しを強行した渋谷区は、数日後、区のホームページで美竹公園の封鎖とそこに住んでいたホームレスに関する告知を発表する。その中には「25日の仮囲い設置の際には公園に4名のかたがいらっしゃいましたので、丁寧にお声かけをさせていただきました。そのうち、3名のかたには、福祉事務所を通じてシェルター（区が借り上げている民間アパート）をご案内し、現在は2名がアパートでの生活を始めております」（渋谷区のウェブサイトより）とあり、ホームレスがアパート生活を始めるための「支援」であったという物語に仕立てられていた。その後の渋谷区との話し合いで、美竹公園で野宿していた人たちは、「仕事もあり、今すぐには出ていけない。とにかくいつ工事を始めるのか教えてほしい。そして野宿できる代わりの場所を示してほしい」と言って、質問への回答と代替地《だいたいち》を求めたが聞き入れられなかった。

宮下公園や美竹公園の例に限らず、このように一方的で強圧的な力に迫《せま》られて追いこまれ、公園や路上から出ていくことになった人の多くは、その後、仲間たちとも会えず、一時的なシェルター（避難先《ひなんさき》）として用意されたアパートで過ごすことになる。そして、住んでいた場所を突然奪われるというトラウマ的な経験へのケアを受けることもなく、「自立」に向けて自らアパートを探して住み、新しい仕事につくことを迫られるのだ。

排除を受けた人たちはますます社会への不信感が強くなってしまう。それでもわたしたちは「まちづくり」を担っている行政窓口へ何度も出向き、ホームレスを寝させないような都市開発計画を見直すことを訴《うった》え、また、ホームレスの人たちが、本人が望むときには医療《いりょう》や福祉サービスを受けられるよう、生活保護などの社会保障を担当している窓口にも話し合いに行くことを続けている。

告知もされないまま住んでいた場所を突然封鎖されたり追い出されたりするよう

な経験は、大きな喪失《そうしつ》となる。そんな時に、ホームレスであるわたしたちがこの街で経験することを互いに語りあえる場はとても大切だ。そのような場で、生きのびるためのアイデアをみんなで検討することができる。

福祉制度を利用してシェルターやアパートで生活することを選ぶのもその人の権利だが、それを自分の意志とタイミングで選ぶという自己決定権は不可欠だ。どれほどいいアパートを用意されても、このような追い出され方で、それまで営んできた生活のすべてを捨て去らなければならなくなることは屈辱《くつじょく》的だ。ホームレスの人たちは、自分自身として生きていくために路上や公園に自ら寝場所をつくり、生活を営んでいる。その営みは悪でも恥《はじ》でもない。

ジェントリフィケーション❖7で街が変えられていく

宮下公園でも美竹公園でも、「多様性」をうたう街づくりの計画によって、そこに

❖7 都市で、比較《ひかく》的低所得の人々が住んでいた地域が、再開発されたり、おしゃれで文化的な場所などとして注目されたりした結果、裕福《ゆうふく》な層が移り住み地価や家賃が上がって貧しい人々が住めなくなる現象。そういった地域では街の商業化や「洗練」、管理が進み、ホームレスなどの排除も厳しくなる。

住んでいたホームレスの人たちは追い出されている。

都市部では、タワーマンションのような高所得者向けの住宅が増え、それにつれて周辺の地価も上昇《じょうしょう》し、家賃がどんどん上がっていく。都心の高級マンションは、価格が上昇するタイミングで売却《ばいきゃく》してその差額分の利益を得るという投機の目的で売買されることも多い。

そのような都市開発の流れの中で、多くの公共公園の整備や開発、その後の管理までが、民間企業に委託《いたく》されて進められている。誰もがいられ、自由に使える公共の場から、商業主義の原理で運営され、管理される場へとつくり変えられる傾向はますます加速している。

都市では何が起こっているのか。ここで人々はどのような暮らしを求めるように誘導《ゆうどう》されているのだろうか。公共料金や家賃が上がり、非正規労働者や外国人労働者が建設工事や介護《かいご》などの負担や危険の多い労働を担い、小さな商店はとり壊されて街の再開発が進み、いたるところに監視カメラが設置され、図書館や公園は民間企業が運営し、ホームレスが排除され街が「キレイ」になっていく。この現象の背景には、どのような政治の意図があり、人々をどこへ向かわせているのだろうか。

石を投げてきた中学生と話したこと

ホームレスへの襲撃

にぎやかな夜の街とちがって、公園のずっと奥《おく》のテント村があるあたりは電灯が少なく、真っ暗になる。何年も住んでいるわたしたちは、目を閉じて歩いても、どこに誰のテントがあり、どこの地面に木の根っこが飛び出ているのかわかるほどだが、住人でない人にとっては、歩道から一歩、薄暗《うすぐら》いテント村のほうに入るのは、闇《やみ》の中に入るようなものだろう。

そのように歩き慣れない場所に入ってくる人の気配は、テントの中にいてもすぐにわかるものだ。わたしの体は一瞬《いっしゅん》にして固まり、近づいてくるその音に耳をすませて集中する。すると突然、テントの入り口あたりでパンッ、パンッ、パンッといくつか連続して爆竹《ばくちく》の音が鳴った。耳の奥が痛いぐらいの破裂《はれつ》音。次の瞬間《しゅんかん》に、笑い声と走って逃げる足音が聞こえてきた。わたしは心臓が止まりそうなくらい驚《おどろ》き、体全体がこわばったが、すぐに外に出て、その人たちを追いかけようとした。なぜならば、つかまえなければならないからだ。わたしたちホームレスのためにも、その人たち自身のためにも。しかし青年たちは全力で走り去り、逃げてしまった。

このようなホームレスに対する襲撃は、残念ながら頻繁《ひんぱん》に起こっている。石を投げる、エアガンで撃《う》つ、爆竹を投げる、火をつける、蹴《け》る、殴《なぐ》る、引きずる、棒で殴る。最悪な場合、失明したり、大けがをしたり、死に至ることもあり、時々、事件として報道される。しかし実態としては、街にいる野宿者たちへの報道されない襲撃は連日起きている。

やめてほしい。

爆竹を投げた人たちは友だちとたくらみ、ホームレスの人を驚かせようと気まぐれにやったことかもしれない。もう、どこに爆竹を投げ入れたのか忘れているかもしれない。こういった行為《こうい》によって、体や物だけでなく心を傷つけるかもしれないということがわからないようだ。

わたしは初めてこのような経験をしたあとはずっと、ただただ怖くて毎日が不安でしかたがなかった。近くのホームレスの人が襲撃に遭ったりすると、自分だったかもしれない、と身の毛がよだつ思いがした。いつどこから襲ってくるかわからない不安が常にあり、何も起こらない時も、何日も何年も恐怖《きょうふ》と緊張《きんちょう》が続く。今でも、テントに近づいてくる人たちを警戒する。差別に基《もと》づいた排除、襲撃がどこかで起こるたびに、心の奥に鉛《なまり》のような塊《かたまり》がズドンと投げこまれたように、気が重い。

襲撃する人との関係を変えたい

襲撃する人は襲撃の動機として、ほとんどが似たようなことを言う。スリルを味わいたかった。遊びのつもりだった。やってみようと誘われて興味本位でやった。ホームレスは社会のごみだから。いないほうがいいから。痛い目にあわせれば出ていくと思った。あるいは、ホームレスはだらしがない、何をするかわからない、迷惑《めいわく》、危険、女性や子どもが怖がる、ルールを守らない、治安を乱している……。

実際にそうであるかどうかにかかわりなく、わたしたちは標的になる。

これらのような動機から始まり、興味がなくなるまで、どんどんエスカレートして理不尽な暴力をふるう。いじめの構造と同じだ。

やめてと言っても、逃げても、へつらっても、泣き叫んでも、笑っても、怒っても、やったほうは、やられている側の心や気持ちを理解しようとしない。だいたい複数で襲撃してくる。ひとりでやってくる人も、強い立場を利用して暴力を使う。そして、高齢者、女性、小柄《こがら》な人、ひとりでいる人をねらう。

この関係を変えるにはどうしたらよいのか。連日どこかで起こっているホームレス襲撃をする人をすべてつかまえて反撃《はんげき》することは不可能だ。

しかし、襲撃する人と話すことは少しでも状況を変えることにつながるかもしれないと感じる出来事があった。

出会いかたのやりなおし

ある日、わたしとテント村住人の小川さんが一緒にごはんを食べていたら、テント村の住人でノラのひとりである香取《かとり》さんが訪ねてきた。テント村に中学校の制服を着た男性3人が入りこみ、石かエアガンを撃ちこんできて、まだうろうろしていると言う。「逃げたけど、また、裏から入ろうとしているの。またやるわよあの子たち」と言う。先日もいくつかのテントにエアガンが撃ちこまれたばかりだった。わたしたちはすぐにテント村全体が見えるあたりに行った。すると、バン、バンと音がした。走っていって、あなたたち! 何しているの?と言うと3人が走りだした。待ちなさい!と追いかけた。しかし彼らは猛《もう》ダッシュで逃げていき、ぐんぐん距離《きょり》が離《はな》れていく。公園の外まで走っていって、わたしは「その人たちをつかまえてください！　ホームレスに石を投げました！」と叫んだ。たまたまそこにいた通行人がそれを聞いて、ものすごいスピードで追いかけ3人に追いついて前に立ちはだかってくれた。3人はあきらめたようで、もう逃げなかった。

わたしが「何回目なの？」と聞くと、背の高い人は「初めてです」と言った。丸刈《まるが》り頭の人が「2回目です」と言って、それに続くように「2回目です」ともうひとりの小柄な人が言った。石を投げた人のところに謝《あやま》りに行くかと聞いたら、丸刈り頭の人が「謝りに行きたいです」と言う。そうして、すっかり暗くなったテント村へ、3人の中学生とわたしと小川さんは黙《だま》って戻った。

逃げるのに失敗したあと、謝りたいと言う3人組。わたしは彼《かれ》らと一緒に、彼らが石を投げたテント村に向かって歩きながら、これは決して「いたずら」ではないということを理解した。彼らには石を投げる動機はなくホームレスを選んで標的にした。これは差別だ。謝って終わることだろうか。

わたしは「世界中のホームレスに謝って。許さないから」「興味があるなら遊びに来ればいいじゃない。なぜ堂々と昼に来ないの」と歩きながら言った。

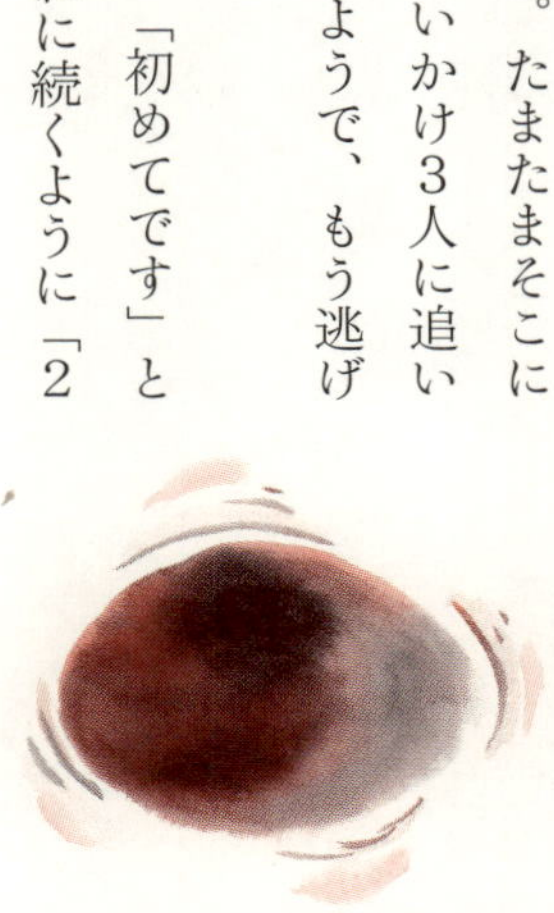

近くの電灯のある明るいところまで香取さんに来てもらった。香取さんはまったく落ち着いていて「あなたたち、本当はいい子なんでしょ？　でもね、テントの中にいて、物を投げられると怖いのよ。警察に行けば事件になるよ。そういうことなのよ。親が悲しむよ」と話した。

話してみると、1回目に来た時はほかの人のところにも石を投げていた。実のところ、背の高い人も1回目にも来てエアガンを撃っていたらしい。石を投げた先のテントの住人は留守だったこともあり、「もう暗くなったから、土曜日か日曜日の昼間、明るいうちに謝りにおいで。必ず来るんだよ」と言うと、3人は「はい」と答え、とぼとぼ帰って行った。

そして、週末。結局、彼らはテント村に来なかった。

謝りに来るのではないかと思っていたので、とても残念だった。そして、彼らはまたやってしまうのではないか、やり方がエスカレートして深刻な事態に至ってしまうのではないかと心配がよぎった。

わたしたちは、彼らと会うために、できるだけのことをしようと思った。彼らの名前は知らなかったが通う中学校を聞いていたので、電話をして、襲撃の出来事を話し、彼らに謝りに来るのを待っていると伝えてほしい、と電話口に出た教頭に言った。教頭はあわてた様子だったが、すぐに対応を考えてくれ、襲撃をした生徒は名乗りでるように学年全体の終礼の際に伝えるということになった。できるだけのことをして、いつまでも待とうと思っていた。すると数十分後にまた電話があり、4人が名乗りでてきたという。ひとり増えている。こんなにすぐに名乗りでてくるとは思っていなかったので驚きつつ、ほっとした。そして、数日後にテント村に謝りに来るということになった。話せることになってうれしかったが、教員と一緒に来るということがわたしは少し気がかりだった。

香取さんや、ほかのテント村の住人たちも話し合いに参加することになった。当日、小川さんと香取さんのテントのあいだに椅子をセッティングして待っていると、4人の中学生が教員に引き連れられてやってきた。明るい日中に見る生徒たちの顔つきは、とても緊張していた。背が高い人と、その人に比べるとぐんと背の低い人、前髪が長い人、丸刈り頭の人。みんなが席に座ると、突然、角刈り《かくが》りの男性教員が立ちあがり「えー、このたびは、大変申し訳ございませんでした」とかしこまって頭を下げた。違和《いわ》感がただよった。わたしが「あのー、先生に謝っていただきたいわけではないです。まず、わたしたちから話をしてもいいですか?」と言うと、教員ははばつが悪そうに座った。わたしたちは、ここに住んでいるわたしたちがこの数日間どのような思いでいたのか、どれほど怖かったのかということをこんこんと語った。四方にシートを張っているテントに物が当たると、バンッと音が大きく響《ひび》いてとてもびっくりするということ、いつまたやってくるかわからないのでしばらく眠れずに過ごした人もいたということ、ホームレスに物を投げるという行為は単なるいたずらというより差別だということ、誰もけがをしていないが心はとても痛いということなどを話した。

テント村の、小川さん、香取さん、ケンさん、あささん、河出《かわで》さんも、ほかの人たちも、それぞれの思いを静かに伝えた。あささんは「もっと怒っている人もいるぞ」と言った。中学生たちは緊張した面持《おもも》ちでずっと黙ったまま話を聞いている。襲撃のあとは言い訳やごめんなさいという言葉をくりかえしていたのに、この時は4人のうち3人がほとんど表情を変えないまま黙っていた。もうひとりは今にも泣きそうな表情をしていた。学校でひたすら黙って話を聞くことに慣れているのだろうか。彼らを見ているとむしろいたたまれない気持ちになった。

わたしは彼らに「ここまで話を聞いてどう思うのか、それぞれ話してもらえますか?」と尋ねてみた。背が高い人は、「ちょっとした出来心でした。すみませんでした」と答え、背の低い人が「すみませんでした。もうしません」と言い、前髪が長い人は「石を投げたことは悪かったです。すみませんでした」と言った。ここまで聞いて、少し不安になった。確かにテント村に謝りに来てとわたしは言ったけれど、教員に連れられてきたことは、よかったのだろうか。謝る態度がとりたてて悪いわけではないのだけど、本当は、横に黙って見ている怖そうな教員がいるから謝っているのではないかと勘《かん》ぐってしまう。しかし、次の丸刈り頭の人は少し異なっていた。ヒクヒクと泣いて、「つかまえてくれて、ありがとうございました」と言った。どうにか希望の糸口にたどりついたような言葉だった。わたしは「石を投げることは許さないけど、いつでも遊びにおいで」と言った。

彼らが帰ってから小川さん、香取さん、ケンさん、あささんたちと、もう彼らは石を投げに来ないねと言いあった。わたしたちはひとまず安心した。

人に石を投げる、エアガンで撃つなど、ほんの一瞬の行為には、社会にある差別や偏見《へんけん》がつめこまれていて、人の心を深く傷つけることがある。やっている本人はそれに気がつかないことがある。今回は彼らを走って追いかけて、話すことができてよかったと思う。

数日後、その中学生の3人が、団子のように寄り添《そ》いあって「こんにちはー」とやってきた。緊張しているようだったが、お互いの顔を見あって照れながらうれしそうだった。みんなで椅子に座って、好きなことなどを尋ねたり、テント村のそれぞれの小屋のこと、季節の仕事のことなどを話したりしておしゃべりした。

「公共の場所」とは

ホームレスの人の多くは、公園、路上、駅や公共施設の軒下、河原など、誰もが利用できる「公共の場所」に住んでいる。こう言うと、「公共の場所に住んでいいの?」「『みんなの場所』なのだから、一部の人が占有《せんゆう》したらだめじゃない?」と考える人もいるだろう。しかし、ほかに寝る場所がない人も「みんな」のひとりなのだから、そういう人が公園の片隅《かたすみ》を使えるのはいいことじゃないか?という考え方もできる。

日本でもほかの地域でも昔から、家を持たず、路上や河原、空き地などの「すきま」に住む人がいた。そういう人たちも有機的な社会の一部を構成してきた。社会のしくみをどんなに細かくつくっても、はまりきれない人は必ず出てくる。いつか自分がそうなるかもしれない(あるいはすでにそうかもしれない)。そういう存在のためにも、社会には常に「すきま」が必要だ。土地の私的所有が進んだ現代では、それを提供できるひとつの場所が「公共の場所」なのかもしれない。

3章 わたしたちのゆれる身体

「自分の体のことは自分で決める」
ということは人の尊厳であり、
それがその人が生きることだと信じたい。
でも、生きることと命が
つながらないことがある。
それがくやしい。

なぜホームレスになり、
ホームレスでいつづけているのだろうか。
その理由や状況《じょうきょう》はそれぞれちがうとしても、
みな、今、生きるためにそこにいる。

3章では、いちむらさんがなぜホームレスでいるのか、
ホームレスの人は自分のものではない土地に暮らしているが
そもそも土地や物を「持つ」とはどういうことか、
また、ホームレスの人々の（あるいは私たち自身の）
思いどおりにならず、ゆらぎつづける身体のことを語る。

なぜ、公園や路上にとどまるのか

公園や路上などにどうしてとどまるのかと疑問に思うかもしれない。生活に困窮《こんきゅう》しているならば、生活保護制度や生活困窮者自立支援《しえん》制度❖8などがあり、アパートや施設《しせつ》で生活できるのではないかと。

このような問いは、行政からも、通行人からも、時にはホームレスの支援者からも投げかけられる。

わたしはわたしに帰るために家を出て、ホームレスで暮らしている。公園や路上のほかのホームレスたちも、ホームレスでいつづけている理由はそれぞれちがっても、みな、生きるためにここにいる。この生活のすべてに満足してい

❖8 生活保護制度は、経済的に困窮し、憲法25条で保障された「健康で文化的な最低限度の生活」が送れなくなった人に対し、国が生活費などを助ける制度。生活困窮者自立支援制度は、これから生活保護を受けることになりそうな人を対象に、地方自治体が就労相談や訓練、家賃の一時的な支給、家計の相談などをおこなって「自立」を助ける制度。2015年に始まった。

るわけではないとしても、今、居る場所で安全に、安心していられるように工夫しながら日々を過ごしている。

ほかのホームレスの人たちの事情や現状をわたしが代わりに語ることはできない。でも、わたしがホームレスを語る時、主語はあくまで「わたし」だとしても、ほかのたくさんの女性ホームレスのことが頭から離《はな》れない。そのままの「わたし」で応答しようと思う。

お金を介《かい》さずに分けあうつながり

わたしはテント村で暮らし、不要とされた日用品や衣類など、ごみとして毎日捨てられる大量の物をお金を介《かい》さずに分けあうつながりを広げようとしている。それは、今の社会の経済のサイクルから少しでも距離《きょり》をとりたいからだ。

また、ホームレスの人が多くいる地域では、公園や広場など公共の場を利用して教会の人たちや支援《しえん》団体による炊《た》き出しが行われているが、そこでは食べ物だけではなく、不要になった日用品や服、靴《くつ》なども配布される。最近の環境《かんきょう》問題を考えると、不用品をごみにするよりリサイクルするほうがはるかに気分がいい。

しかし、このような、お金が介在《かいざい》しないつながりは広がるどころか、ホームレスが人から物をもらうことやごみを拾うことは、非難されたり恥《は》ずかしいこととされたりする。ホームレスの暮らし方への社会の圧力は強まるばかりだ。

復帰したくない社会

わたしの住んでいるところにも、「社会復帰するように」と行政の職員がやってくることがある。どうやら毎月のルーティンとして、業務内容に組みこまれているらしい。固そうな生地のユニフォームを着た数名の職員たちは、わたしのテントの前で立ちどまり、荷物を見まわして通りすぎていく。

しかし、その「復帰」する先の「社会」とはどういったところなのだろうか。会社に労働者として雇《やと》われ、かせいだお金で生きていくことが前提となっている社会。そこではひとりひとりの個人が生産性によって測られてしまう。そして肩書《かたが》きや地位、年収、成績や能力などによって価値づけられ、序列化されてしまう。

低賃金で不安定な非正規雇用《こよう》者の増加、都市部の家賃の高騰《こうとう》、新型コロナウイルスのパンデミックや戦争の影響《えいきょう》による物価高など、貧困は個人の責任というより社会的、政治的に引き起こされるということは、すでに広く語られていることだろう。そういった、資本主義社会で生じる経済格差を減らすためには、国が税金を徴収《ちょうしゅう》し、生活保護制度などの社会保障のシステムを通して、所得の多い人の富を少ない人に再分配するしくみがある。[9]

日本の社会は基本的に、会社に所属し、結婚《けっこん》していて、日本の国籍《こくせき》を持ち、健康であることなどを「標準」としている。そのため、国籍、民族、肌の色、障害、ジェンダー、セクシュアリティ、その他の点で「標準」「普通《ふつう》」から外れている人は、差別され、不利益を被《こうむ》ることが多い。

ところが、今の資本主義社会は、「標準」から少しだけはみだしていることまでもビジネスの材料にする。ハマれないことは「個性」「多様性」などという言葉で歓迎《かんげい》され、「輝《かがや》いている」「かっこいい」「才能がある」「それでも成功した」などと価値をつけられて、物語にされたり、作品やグッズなどが売られたり、何らかの形で収益に結びつけられることがある。

しかし実はわたしはこういった「個性」や「多様性」を売りにするような経済活動を警戒《けいかい》している。この時、「標準」の範囲《はんい》は広がるが、商業主義が強化され、「もうけることがいいことだ」という価値観がいっそう強まるからだ。その枠《わく》からも外れる人たちは、価値がない存在として、社会の周縁《しゅうえん》に追いやられていく。

路上にいるわたしから見えることは、そういうことだ。こういうビジネス中心の大都市の真ん中で、くぐりぬけて見つけた場所が、テント村や路上だ。「社会復帰するように」と言われる時の「社会」には、わたしたちがわたしたちのままで受け入れられる場所はなさそうに感じる。それなのに人々は「社会復帰」をわたしたちに求めてくる。公園や路上で生活するホームレスの人たちを、そのままでは社会の一員だと認めていないのだ。

「家」を逃《のが》れて路上にたどりついた

襲撃《しゅうげき》や性暴力のターゲットとして「女性」や「高齢者《こうれい》」に見える人がねらわれやすい（女性以外の人への性暴力も起こっている）。そもそも性暴力は隠されることが多く、被害が見えにくい。さらに、野宿をする女性たちが暴力に遭《あ》っていることは見えにくいだけでなく、「しかたがない」などと言われて放置されることもある。一方で、そ

❖9　これを「所得の再分配」という。税金を通してだけでなく、地方自治体や雇用者（会社）が保険料を集め、健康保険や雇用保険として再分配するしくみなどもある。また、経済格差を小さくする方法としては、所得の再分配だけでなく、たとえば立場のちがいによる賃金や雇用機会の差をなくす（減らす）、ベーシックインカム（＝生活するために最低限必要なお金をすべての人に同額支給する制度）を導入するなどの方法も、程度の差はあれ世界の各国で実施《じっし》されたり試みられたりしている。

ういった不安定な立場に目をつけられて、「危険だから守らなければならない」という言葉の下《もと》で、自由を奪《うば》われ、支配されてしまうことすらあるのだ。

女性や性的マイノリティにとって、家や家族が必ずしも安全な場だとは限らない。佐々木さんは、自分の家では暴力が起こっていて、居場所がなかった。そこで、勇気を出して家を出て、路上にたどりついた。もちろん路上が安全であるわけではないが、家の中には逃《に》げ場がなく路上のほうが安全だと感じた。

ようやくたどりついた路上だったが、そこでも自由が待っていたわけではなかった。食べ物を持ってきてくれる親切な人たちもいたが、そのうちのひとりの男性が「守るため」と言って何度も寝《ね》場所を訪《おとず》れてきて、しばらくすると「面倒《めんどう》をみてやっている」とまわりに言いはじめ、周辺の人たちは2人の関係を夫婦のように見て、男性のことを「ダンナ」と呼んだ。男性からは「黙《だま》って安心してここにいろ」と言われていたが、むしろ佐々木さんは少し怖《こわ》くなり、食べ物はもうもらいたくないと思った。でも断ると怒《おこ》りそうだったので、何も言えなかった。

せっかく家から出てきて、自らの体を横たえられる場所を見つけたのに、またそこを立ち去らなければならないのかと、ほかの野

宿の女性たちに相談していた。

また、20代の照美《てるみ》さんは、同居していた家族と折りあいが悪くなり、家を出て公園にたどりついた。所持金も住む場所もなく、公園で寝ていた女性ホームレスの横で寝ることにした。しかし、公園を寝場所としながら仕事を探すことは難しく、どこかで部屋を借りて仕事を探し、生活を立て直そうと考え、役所の福祉《ふくし》事務所を訪れて生活保護を受けたいと伝えた。ところが、生活保護を受けることはあくまでその人個人に備わった権利であるにもかかわらず、家族や親族への扶養《ふよう》照会が行われるという。扶養照会とは、福祉の職員が家族や親族に連絡《れんらく》し、その人の生活を助けることはできないか尋《たず》ねるというしくみだ。家族に連絡をしてほしくない照美さんは躊躇《ちゅうちょ》した。それは困ると伝えても、職員は「扶養照会は決まりだからやることになる」「家に帰ったほうがいいのではないか」と言う。結局、照美さんは生活保護を申請《しんせい》せず、公園に戻《もど》ってきた。

女性がホームレスでいる理由

佐々木さんは路上で少しでもマシな寝場所を見つけ、照美さんは生活保護制度を使って住居を確保し、それぞれの生活を成り立たせようとした。そうやって自らの未来を歩もうとしたのに、「家族」へと戻されそうになった。しかしそれは彼女《かのじょ》たちの望むことではなかった。

信頼《しんらい》関係をつくりながら一緒《いっしょ》に住み、それぞれの個人が安心して生活を営むことのできる「家族」もあるだろう。しかし一方で、「家族」が閉ざされた枠《わく》となり、その中で暴力や支配が起こることもある。血縁《けつえん》や婚姻《こんいん》などでつながった「家族」を、必ず安心できる関係だと前提して社会の制度に組みこんでしまうと、その中で起こる暴力や支配が見えなくなり、被害《ひがい》を生みつづけてしまう危険もある。

女性やトランスジェンダーたちは、夜に外にひとりで出るのは危険だと教えこまれてきた（トランスジェンダーの人も性的な虐待《ぎゃくたい》を受けることが少なくない）。その対策として言い聞かされてきたのは、部屋に鍵《かぎ》をかけて閉じこもっていることだ。「なぜそんな時間にそんなところにいたの?」という問いとともに、暴力の責任の矛先《ほこさき》がたちまち被害を受けた人に向かってくる。暴力をふるわれた理由は、ホームレスだから、女だから、トランスだから、そんな格好をしていたから、夜にそんな場所にいたから……。もう、うんざりだ。公共空間で起こっている暴力や性暴力が放置され、暴力を受ける側の行動が制限される。外で生活する理由も十分に理解されないまま、保護の対象とされ、住みたくもない部屋に閉じこめられることを多くのノラは拒否《きょひ》する。一方的に与《あた》えられたアパートで生活することが本当に安全で自由なのか？

帰るべき場が、家父長制❖10に支配された自由のない「ホーム」ならば、わたしは「ホームレス」でいようと思っている。そしてホームレスのまま、ほかのホームレスたちと、できるだけ安全に安心して暮らせる場を実践《じっせん》していきたい。

生活保護と貧困ビジネス

ホームレスの人が、役所の職員などに勧《すす》められて生活保護を受けることにし、路上や公園の生活から脱《だっ》しても、「貧困ビジネス」にとりこまれ、毎月の生活保護費を業者に奪われつづけて抜《ぬ》け出せなくなることもある。

東京都の場合、アパートなどに住みたいと思ったホームレスが福祉事務所に行くと、民間のアパートに直接入居できることもあるが、それは数少ないケースで、一時的な滞在先として都心の寮《りょう》やシェルターを紹介《しょうかい》されることのほうが多い。寮は薄《うす》

❖10 男性の家長がほかの家族に対して支配権を持つ家族制度。またそのような、男性が女性などに対して優位で支配的な力を持つ、男性中心の組織や社会の構造をいう。日本では第二次世界大戦後まで、家父長制に基づく家制度が法律で支えられていた。現在もなお、家父長制的な考え方や制度や習慣は存在しつづけ、女性や子ども、性的マイノリティなどの権利と自由への抑圧《よくあつ》となっている。

いベニヤ板で仕切られた狭《せま》い個室がフロアに密集していたり、シェルターはマンションの一室を数人が使う形式だったりする。

寮やシェルター以外には、多くのケースで、都心から遠く離《はな》れた「無料低額宿泊《しゅくはく》所」を紹介される。相場より家賃が高く、カップ麺《めん》や揚《あ》げ物ばかりの弁当を配って高額な食事代を請求《せいきゅう》し、必要がない「見守り支援」金を徴収《ちょうしゅう》するなど、生活保護費の大半をとりたててピンハネするような事業者も少なくない。

このような悪質な経営は「貧困ビジネス」と呼ばれる。こうした実態をわかっていても、行政は無料低額宿泊所の紹介をやめない。まるで貧困者を都心から追い出すかのようなこの一連の流れを、行政は「貧困ビジネス」に委《ゆだ》ねている形になる。

それでも、屋根があるところで生活できるのはありがたいのではないかと思うかもしれない。

生活保護を受給することは権利であり、恥《は》ずかしいことではないはずだが、受給者に対する偏見《へんけん》は強く、社会構造に由来する貧困を、自己責任として個人を責める空気は世間にどっしりと横たわっている。そのような空気の中、受給者は、自分は行政の窓口や事業者に言われるとおりにするしかない、と思いこまされる。「貧困ビジネス」はそういった負い目につけこんで、受給者を相手に事業を行うのだ。

土地の所有、物の所有

眠《ねむ》る体ひとつ分の場所

冬のある日、陽《ひ》のあたる芝生《しばふ》の広場で、ひとりの野宿者が敷物《しきもの》を敷《し》いてゴロンと横になっていた。寒い日は少しでも暖かいところで体を休めたい。ところが、そこに公園の管理事務所の職員がやってきて、ここでは横にならないようにと注意を受けた。少し休んでいるだけだと言っても、座《すわ》っているのはいいが、寝るのはだめだという。しかたがなく、自分の荷物にもたれるように座ってうとうとした。

この公園では何人もの野宿者が、このように注意されて、横になれない状況が起こっている。

人は誰《だれ》でも生きるために眠《ねむ》る。眠りにつく時、この地球上のどこかに、横たえた体ひとつ分の面積を占《し》めることになる。

地球の上に眠る。地球は誰のものでもない。わたしの体がここにあるということは、土地の所有とはかかわっていない。しかし、ホームレスが寝ていると、その体の面積でさえ勝手に占有《せんゆう》していると見なして、移動を強《し》いられる。

この地球の地面を誰かが「所有する」とはどういうことだろうか。土地の所有の意識は、街に寝ているホームレスを、勝手に占拠《せんきょ》していると見る意識につながり、ホームレスの存在を不安定にする。

惑星《わくせい》の上に眠る。その体のそばに食べ物、鍋《なべ》、茶碗《ちゃわん》、箸《はし》を置いて生活をする。仲間を迎《むか》えて座るための敷物を広げる。体の存在によって占める面積は、生活を営むことによって広がり、誰かと共有する場所につながる。わたしがいるこの地面には、ここは誰のものでもない場所だという反発力と、だからこそ誰のものでもある場所だという引力が生じていて、共に生きていくために、どこにどのように軸足《じくあし》を置くのかを問いかけ、わたしたちの視界を広げている。

ホームレスの暮らしと、物の所有

テントや毛布、服、鍋、食器などわたしが使っている物は、誰かのところで不要となって分けてもらった物がほとんどだ。食べ物に関しては難しい時もあるが、お金を出して物を買うことをできるだけ避《さ》けたいと思っている。なぜかそのほうが豊かな気持ちになる。社会はたくさんの不要とされた物であふれかえっている。それらを集めて、ほかのホームレスや貧困者たちと分けあう経済のしくみをつくっている。不要とされた物、余っている物、空いた時間、知恵《ちえ》など、さまざまなものを組みあわせながら、みなで生活を営んでいきたい。

しかし、野宿生活の中では、物を持ちつづけることは難しい。分けてもらう物はもともと使い古されている場合が多いということもあるし、なかなか手に入りにくいような物や、大切にとっておきたい物でも、気温の変化の影響をじかに受け、雨風に打たれるなどして傷《いた》みが激しく、保ちつづけることは至難の技《わざ》だ。

また、大切にストックしていた食料や衣類、日用品だとしても、優先的にほかの人に分けたほうがよい事態も起こる。一方、物が足りないのなら共有しようという気持ちはあるが、「貸してほしい」と言われて貸した大切な物が返ってこないという時もある。このような状況にあると、だんだん「物を所有する」ということをあきらめることになる。

毎シーズン、炊き出しなどに大量に集まってくる古着をほかの野宿者や貧困者たちと分けあう時は、テンションがかなり上がり、あれもこれもほしいという気持ちになる。その量の多さに「世の中ではこんなに物が消費されているのか」と圧倒《あっとう》さ

れるが、いざみんなで分けあいはじめると、わたしも気持ちがはじけて興奮状態になる。ところが寝場所に持ち帰ってみると、結局、特にほしい物なのかどうかもわからないまま、荷物が増えてどうにも収まらなくなり、また誰かにもらってもらうことになる。

テント村の生活では、「わたしのもの」という観念はとても曖昧《あいまい》だ。物を手に入れても、自分がそれを持つことになった経緯《けいい》と同じように、この物はいずれ誰かのものになりうる、と考えるようになる。つまり、物も、場やとりくみも、みなで共有することになっていく。ガードレール脇《わき》の歩道にしゃがみこんで語りあう、テントや小屋の前でお茶をいれて仲間をもてなすなどといった仕方で場をつくり、仲間同士の関係性をつくり、物を共有し、分かちあうということがここにはある。

わたしたちの場やとりくみは、制度や力に守られているわけではないので、簡単に壊《こわ》されてしまう。だから、自分たちで場を機能させ、場をケアするという作業も仲間と共有していきたい。

ゆれる身体

思いどおりにならない身体

わたしの身体はわたしのものだが、公園にいると、ほかの人の視線の中で、わたし自身とは異なる見え方でわたしの身体が存在していることがある。「ホームレス」「女」などといった記号がわたしの意思とは無関係に形づくられ、貼《は》りつけられて、わたしの身体は弱い身体として現れる。男性に見える人とそれ以外の人では、公園にいる時の緊張《きんちょう》の度合いや、呼吸の深さなどがまったく異なるのではないだろうか。

しかし、だからといって「女」が、強い立場にある人に「守られる」ことは、当然のことのように思われているかもしれないが、実のところは弱いものとして見下され、気がつかないうちに搾取《さくしゅ》されたり束縛《そくばく》されたりすることもある。そのようにわたしは警戒してしまう。暴力や、行政や警察の不当な権力によってわたしの身体を支配され管理されないようにすることや、誰にも手なずけられないために孤立《こりつ》すること、それと同時に、人とつながることも必要だ。

いずれにせよ、わたしは人々のまなざしの中で、自分の身体は自分ではまったく思いどおりにはならないことを体感し、あいまいな身体がそこにあることを感じている。それでも何かが起こったらすぐに対処するための注意や努力を常に行いながら日常生活を送っている。

その身体が、人や車が行き交《か》う騒《さわ》がしい場所にあっても、ほかの人と一緒にいても、また、公園の静かな森の中にひとりでいても、その場に働いているさまざまな力の関係の中で、生活をしている。

そのような身体がさまざまに強くゆれて中心が定まらないと、心が押《お》しつぶされてしまう。近年の酷暑《こくしょ》や寒さ、そして病気や精神的なダメージなどの中で、身体はますます手に負えない。身体がゆれる時は、そこで不安定にゆれたまま、バランスをとり、自身のおよその真ん中を確認していく。

ホームレスの人たちのゆれる身体やゆれる意思の、自分のものなのかわからなくなるような不安定さは、たとえばこんなふうに現れる。

過酷な労働をして得たお金をギャンブルと酒に投じてしまい、からっぽになる。もらったり拾ったりした物がどんなにたくさんあっても物足りない気持ちが強くあって、山のように集めた荷物の隙間《すきま》で寝る。風が吹《ふ》く中でごみや落ち葉を掃《は》き、また風が吹いて広がるとまた掃いて、掃除《そうじ》をしないと落ち着かないのでそれを何度でもくりかえす。どんなに寒い日でも公園の水道で何度も手足をゴシゴシ洗う。毎日各地の炊《た》き出しをめぐり、食べられるだけ食べて自ら吐《は》くことをくりかえす。

それぞれのゆらぐ身体は、そのままの状態で、尊厳がある。

濁流《だくりゅう》の中、ひとまずここにいる

街の騒がしい場所にいるホームレスの身体は、どこかどっしりとしたたたずまいに見えることがある。

星野さんは大きなスクランブル交差点にある歩道の植え込《こ》みのところに、毎日座っている。足を組んでいつも同じ方向を向いて、どこか凛《りん》としたたたずまいで、船頭のように遠くを見ている。夜も数万人が利用するこの交差点の脇《わき》で、あちこち異なった方向へと忙《いそが》しそうに歩いていく人々の波の中で、横になって眠っている。さまざまな方向に向かう水流の渦《うず》がいくつもある中に、そこだけほとんど動かない水面が生じている。星野さんは葉がぷかぷか浮《う》いて止まっているように穏《おだ》やかだ。

わたしは少ししか話したことはないが、その交差点に行くたびに星野さんがいることで、なぜか安心するような不思議な気持ちになる。この交差点を頻繁《ひんぱん》に利用する人の中にも、星野さんに無事に過ごしていてほしいと望む人は多いようだ。絶え間ない人の流れの中から、食事や飲み物などを差し入れする人たちがいる。眉間《みけん》に深いしわがあり、優《やさ》しい表情で、でもあまり多くを語らず、誰も寄せつけないような星野さんは、静かにその差し入れを受けとっている。

話しかけても応答しない時がある。そんな時はいつも、人混みの向こうの遠くを見ているようなまなざしだ。

そこから一歩踏《ふ》みだすと、たちまちのみこまれてしまいそうな濁流《だくりゅう》が、星野さんの身体のまわりでうねっている。だからひとまずここにいる、といった風情《ふぜい》だ。星野さんはどこを見ているのだろうか。

自分の体、ほかの人の体

厳しい気候や病気、精神的な苦痛などでダメージを受け、自分ではどうにもならなくなって、ケアが必要になる場合もある。そんな時、特に体のことを、誰に手伝ってもらうことができるのか。手伝う側も、ほかの人の体のことにどれだけかかわるこ

とができるのだろうか。

ようこさんが過ごしていたのは、公園のベンチや、大通りの花壇《かだん》の脇だった。ある頃《ころ》から、足が動きにくくなってきたようで、いつもなら10分でたどりつく炊き出しの場所まで、30分ほどかかってしまうようになっていた。炊き出しで会う人たちも、そのようなようこさんが心配で、病院へ行ったほうがいいのではないかと話していた。ようこさんは、少し休めばよくなるわ、と言っていた。

しばらくすると、いつもいるあたりでようこさんを見かけなくなった。炊き出しで会う人たちは、施設に入ったか、病院に行ったのだろうかと思っていた。ところが、少し前から女性用トイレの個室のひとつがずっと開かないままになっていて、そこにようこさんがいるのではないかという噂《うわさ》が立った。トイレに行き、その個室をノックして「ようこさん、いますか?」と声をかけてみると、「あら」とようこさんの声がした。そして中から鍵《かぎ》を開けてくれた。厚いコートを着て便座を椅子《いす》がわりにして座っているようこさんがいた。ようこさんは「足が動かなくなってしまったの。リハビリをしなければ」と言う。暖冬とはいえ、もうずいぶん寒くなっていた。動けないといっそう体は冷えるだろう。病院で診《み》てもらったらどうかと提案すると、

「みんな、わたしを病院へ行かせようとする」と強い声で答えた。

　ようこさんの様子を見た人たちはきっと、病院に行くほうがいいと思っただろう。しかしようこさん本人はそれがとてもわずらわしい様子だった。ようこさんは以前、入院したことがあって、その時に嫌《いや》な経験をしたようだった。野宿をしている人たちには、自分の体を預けてしまうことになり、家族のことや生活のことを聞かれることもある病院には行きたくないという人は少なくない。それでもようこさんは「いつかは治療《ちりょう》を受けなければならないと思っているけど、今はまだいい。救急車には乗りたくない」と話していて、自分のタイミングで行きたい様子だった。「外のベンチだと、足が動かないから、何かあってもすぐに逃《に》げられない。トイレは鍵がかかるし、限られた人しか来ない。このトイレの3つのうちのひとつを長く使うことになるけど、しばらくいさせてほしいと掃除の人や管理の人にはお願いしてあるの」と話していた。ようこさんは、トイレにいる理由を管理の人に話して、ひとまずここにいさせてほしいと自分で頼《たの》んだようだ。思うようにならない体をどうするか、ようこさんは悩《なや》み考えている。わたしは、毎日の食事をようこさんの分もつくり、食事と一緒に温かい飲み物、カイロも届けることにした。

　ある夜、食事を届けに行くと、ようこさんは床《ゆか》に横になって足をさすっていた。

「何か手伝えることはありますか？」と聞くと「道路までわたしを運んでくれないかしら。そしてタクシーを止めてわたしを乗せてほしい」と言う。「病院へ行くならつきそいます」と言うと「その前に、ひとりで行きたいところがあるの」と言う。わたしは、この状態ではつきそいの人がいなくては乗せてくれないのではないかと思い、「乗車を断られたらどうしますか？」と聞いてみると、わたしをちらっと見て「次のタクシーを待って頼《たの》むわ」と言う。どこへ行きたいのか、どんな目的なのか、わたしにはわからなかった。ようこさんがお金を持っているかどうかもわからない。ようこさんをひとりで乗せて目的地まで行ってくれるタクシーが見つかるまで、この寒さの中で車道の脇で待つことは、今のようこさんにはとてもできそうに思えなかったし、友人たちを呼び寄せて何人かでようこさんを担《かつ》ぎあげてタクシーに乗せたとしても、無事に病院へたどりつくかどうかも、次に手伝ってくれる人がいるかどうかもわからないまま、ようこさんをひとりで行かせることは、わたしにはとうていできなかった。ようこさんの要望に応えられないことは苦しかったが「わたしにはできないです」と断った。わたしが「食べ物は何が好きですか？」と聞くと、「スパイシーなものが食べたい」と話してくれた。「寒いから、体が熱くなるくらい辛《から》いものがいいわ。とても好きなの」と軽《かろ》やかな声だった。翌日とても辛いタイカレーをつくって持っていくと、ようこさんはとても喜んでくれたので、ほっとした。

一方で、ようこさんの足はまったくよくならないし、それに加えて手足が腫《は》れてきているようだった。数日経《た》つうちに、食べられるものも少なくなって、とうとうスープだけになってしまった。どうしたらいいのだろうか。病院で治療を受けてほしいというわたしの気持ちは、ようこさんには突《つ》き放されるように思えるのかもしれない。わたしは毎日、意識が遠のいていたらどうしよう、もしものことがあったらどうしようとおろおろ考えながら、公園の薄暗《うすぐら》い林を抜けて、ようこさんのところへ食事を持って向かう。乾《かわ》いた落ち葉の上をひと足ひと足歩くたびに、バリッバリッと大きな音がして、その音が「おまえは大したことができない」とわたしを責めているようで怖《こわ》くてたまらなかった。

ようこさんは「自分で決める」と言う。わたしは毎日行って、そばにいることしかできなかった。「自分の体のことは自分で決める」ということは人の尊厳であり、それがその人が生きることだと信じたい。でも、生きることと命がつながらないことがある。それがくやしい。

トイレにいるようこさんを訪れる人はしだいに増えていった。温かい飲み物を届けてくれる人や、食べ物を届ける人もいた。力が入らなくて体が傾《かたむ》いてしまい、体を起こすのを手伝ってほしい、とようこさんが頼むこともあった。役所の福祉事務所の職員も来て、病院へ行くように説得しようとしたが、ようこさんは「考えておきます」と言って断っていた。

ある朝、お茶のポットとカイロを持ってようこさんのところへ向かうと、救急隊員がたくさん見えた。走って行ったら、ようこさんがストレッチャーで運ばれていくところだった。目は閉じたままで意識もはっきりしていないようで、かなり容態が悪そうだった。うーうーとうなっている声は、「病院へ行きたくない」とわたしには聞こえる。このトイレを管理している警備員が朝の見回りをしていて、ようこさんの容態を見て救急車を呼ぼうと判断したようだ。わたしもこの容態を見たら救急車を呼んだかもしれない。いつかようこさんの意識がはっきりしなくなってしまった時に、救急車を呼ぶことになるだろうと覚悟《かくご》していたが、とうとうその事態が起こってしまった。いや、もしかしたらわたしは救急車を呼ぶことをためらったかもしれない。ようこさんはほかに行きたいところがあったのだし、わたしにはこのうなり声も「病院に行きたくない」と聞こえるのだから。そうすると、ようこさんの命を守れなかったかもしれない。毎日ようこさんのところへ行くようになって1か月半が経っていたが、ようこさんがこんなにも苦しそうに救急車で運ばれるのを見ていて、自分がやったことや、やらなかったことは、よくなかったのではないか、と後悔《こうかい》の念に駆《か》られた。

公園の管理事務所や、役所の福祉事務所の窓口で、どこの病院に運ばれたのか、ようこさんは無事なのか、どのような状態なのかと尋《たず》ねたが、わたしは家族ではないという理由で教えてもらえなかった。

寒い日々がただ過ぎていき、自分の吐《つ》く白いため息が目の前に何度も現れて、消えていった。ようこさんはどこに行きたかったのだろうか。ひとまず暖かい場所でゆっくり休めていることを願うばかりだ。戻ってきたら、今度こそ行きたいところへ行くための手伝いをしたい。

おいしい食事とは

わたしがテント村に暮らしはじめるずっと前、わたしは今よりも貧しかったし、生活は苦しかった。家賃を払《はら》うために月末は食費を削《けず》ることになる。甘《あま》いものやお菓《か》子《し》はぜいたく品で、友人が来た時に少し買うくらいだった。節約する時は、まず食費からだった。1食、2食が食べられないだけでもむなしい気持ちになる。この状況がいつまで続くのだろうかと恐怖《きょうふ》を覚えた。この飢《う》えは、何かわたし自身に原因

があるのではないかと感じた。自分のせいだ、もっと割のいい仕事を見つけて、労働時間を増やさなければならない、と自己責任の呪《のろ》いが襲《おそ》ってくるようだった。

炊き出しの列に並ぶということをその頃に知っていれば、どれほど助かっただろうか。でももしかしたら、炊き出しに頼って自力で解決できない自分を責め、やはり食べないことにしていたかもしれない。一方、飢えのつらさを味わってしまうと、食べられない恐怖が食べたい欲望を強くする。おなかがすいているわけではなくても食べられないと不安になり、食べ物の前ではまったく無力になってしまうのだ。

また、食べたいという欲求と、おいしいという感覚は、別の回路を持っている。どんなごちそうでも、居心地の悪い場所で食べるのでは、おいしいとはなかなか感じられない。

ある時、学会に呼ばれてわたしの野宿の経験を話す機会があり、発表のあとで会食に招待された。きれいなお皿に載《の》せられた料理はとても豪華《ごうか》だった記憶《きおく》があるのだけれど、慣れない場で落ち着かないためか、ほとんど味がしなかった。ところが、同じような食べ物でも、ちがう環境《かんきょう》だと味わいがまったく変わる。ある日の夜遅《おそ》く、テント村にドレスやタキシードを着た人たちが現れ、「パーティーで余ったから」といろんな料理がごちゃっと盛られたプラスチックの大皿を置いていった。テント村のみんなが集まって、野菜を肉で包んだ料理や、チーズを挟《はさ》んだ鶏《とり》のささみの揚《あ》げ物や、うずらの卵、トマトやアスパラガスを刺《さ》した串《くし》など、突然ごちそうがやってきたことに興奮しながら、お箸《はし》でつついて「これはなんだ」「どう?」「ふむふむ、うまい!」などと言いながら食べるのはとても楽しく、おいしく感じた。

おいしいと感じることは、食べ物がどれだけ豪華か、手がこんでいるかといったことにかかわらない。真冬の極寒《ごっかん》の中、路上で野宿をしている人たちと一緒に少ない材料を刻み、鍋《なべ》にたっぷりのお湯をわかして食事をつくる。器を両手で持ってかじかんだ手を温めながら、立ちのぼる湯気に顔をあてて すすり飲むお味噌汁《みそしる》は格別な味がする。満足できる食事とは、気兼《きが》ねやストレスなく安心できる環境で食べるということにつきる。

公園や道路などでは火の取り扱《あつか》いが厳しく制限されていて、炊事《すいじ》は簡単ではない。炊事ができる場所を見つけて、仲間たちとメニューを決め、一緒につくって食べる食事は、たとえ上手にできなくてもまずくはないのだ。食べ物はおいしく分けあいたい。食べるものがない人が見ている前で自分だけがおにぎりを食べても、なかなか味わえるものではない。

自炊が難しいホームレスにとって、ボランティアの人たちによる炊き出しは、実際のところとても助けになる。必要な時には利用したい。炊き出しで一食を得ることは、決して恥ずかしいことではないし、食べることを炊き出しに頼るしかないような状況に追いこまれてしまったことはその人のせいではない。

自生している木の実や葉を使ったり、トマトやキュウリ、ナスをつくったりする人も少数いる。廃棄《はいき》される食品をもらってくること、野菜を育てること、食材を持ち寄って一緒にごはんをつくること、炊き出しまでたどりつくこと。どれも自力で食べていく方法だと言っていい。

ノラに参加しているD子さんは、週に数回、公園の周辺で行われるすべての炊き出しで食事をしている。毎回、D子さんは炊き出しを主催《しゅさい》している人に一円玉や五円玉、十円玉など、街で拾ったお金を渡《わた》しているようだ。もちろんほとんどの炊き出しではお金を払う必要はないが、D子さんはお金を渡し、食事を提供する人たちと少しでも対等な関係を保ちたいようだ。

食べ物を提供する側の行為《こうい》によって、受けとる側が支えられていることは事実だが、そこには上下関係が生まれてしまいがちだ。それをどのように解体できるだろうか。飢えの恐怖と、食べ物のやりとりに伴《ともな》う非対等な関係からは、なかなか自由になれない。

食事を「おいしい」と感じられるのは、自分にとってはどんな時間や環境なのだろうか。一食ずつ味わいながら探《さぐ》っていこうと思う。

ホームレスと自由

「ホームレス」という呼び方は、差別的とされて避けられることがある。「ホーム（帰る場所）がないのではなくハウス（家屋）がないだけだ」として、「ハウスレス」と言い換《か》えられたりもする。でも、ホームレスという言葉に元から差別的なニュアンスがあったというより、ホームレスへの差別的な見方が「ホームレス」という言葉に染みこんでしまったわけなので、差別がなくならない限り、どんな呼び方に変えてもまた差別語になってしまうだろう。

いちむらさんは自分のことを進んで「ホームレス」と呼んでいる。「家」や「家族」をはじめとする、人を縛《しば》るいろんな制度や価値観から出て、その外で自由に暮らすことを選んだという自己表現だ。そして「はじめに」を読むと、その自由はひとりでは得られず、ほかのホームレスと――ホーム（標準、普通）から出たい気持ちを持つほかの人と――つながることで実現できると言っている。

どういうことだろう。人とつながると、むしろ私の自由は縛られるのでは？

私の自由と尊厳は、ひとりで実現できるものだろうか。そうではなく、ほかの人と共に模索《もさく》していく中で、感じられ、可能になっていくのではないだろうか。

4章

切り抜《ぬ》けるための想像力

この界隈《かいわい》の野宿生活者たちは、
段ボールハウスのことを
「ロケット」と呼んでいるというのだ。
ロケットと呼びあうファンタジーによって
夜を乗りきろうという作戦だ。

いちむらさんは
ホームレスへの襲撃《しゅうげき》や追い出しに対して、
生きのびる力を得ていくプロジェクトを
仲間と共にいくつもおこなってきた。

4章では、そのような試みを紹介《しょうかい》し、
いちむらさんが子どもの頃《ころ》から今まで
「見えているもの」と「見えていないもの」のあいだを
想像力を使ってとらえようとしてきたことを語る。

「R246星とロケット」と「246キッチン」

物事は、無数の情報をふくんだそれまでのすべての一瞬《いっしゅん》が積み重なったものとして、そこに現れる。

そして、人がそれをどう見るのか、人にどう見えるのかには無限の可能性がある。

この場に、どのような力が作用していて、自分には何が見えているのか。

あるいは、何が見えていないのか。

実際のところ、ほかの影響《えいきょう》や力を受けずに「自ら見る」「ありのままを見る」ということがどれほどできるのだろうか。

しかし、わたしたちには想像力というものがある。

物事を自ら知覚しようとして、その背後やまわりにある無数の情報への想像力を働かせてみると、光が落とす影《かげ》とともに、それまでは見えていなかった光景が浮《う》かびあがる。

影に焦点《しょうてん》を置いてみよう。光がゆがむ気配に気づいた時、想像力を走らせよう。

高架下《こうかした》のアートギャラリーとホームレスの追い出し

「あなたたちのいる通路はアートギャラリーの一部です。早急に移動してください。移動できない場合は、福祉施設《ふくししせつ》を利用してください」と告げる貼《は》り紙を貼られたのは、2007年、渋谷《しぶや》駅近く、国道246号線にあった高架下《こうかした》の通路に、段ボールで寝床《ねどこ》をつくって長く暮らしていたホームレスの人たちだ。ここは駅周辺でかろうじて雨を避《さ》けていられる場所であり、5人以上がここで過ごしていた。貼り紙を貼ったのは、高架下の壁《かべ》に「アートギャラリー」と称《しょう》して壁画《へきが》を描《か》く計画を立てた地域の町会と、その制作を請《う》け負った近くのデザイン専門学校の実行委員会だ。ここはアートギャラリーとなるのでホームレスは出ていってほしい、というのである。

実は高架下の壁には、すでにたくさんのグラフィティ（＝街の壁や電車などにスプレーや太いペンなどで絵や文字を描く行為《こうい》）がなされていた。グラフィティは街の管理や監視《かんし》の隙《すき》をねらって行われる。そこに住むホームレスの人さえも気がつかないうちに、段ボールの小屋の横にカラースプレーの絵や文字が突然《とつぜん》どーんと登場する。その素早《すばや》い技《わざ》は見事なものだ。描く場所にあるものを壊《こわ》さないこと、正体不明であることがストリートのグラフィティの流儀《りゅうぎ》だ。この高架下に、街に住む人の自己表現であるグラフィティとホームレスたちの暮らしはなかなか調和して存在していた。

しかし、今回のアートギャラリープロジェクトでは、壁のグラフィティをすべて一色に塗《ぬ》って消してしまい、その上にデザイン専門学校の学生たちが壁画を描くということだった。そのデザイン学校のホームページに公開されたこのプロジェクトの紹介《しょうかい》を見ると、「まちづくり協議会から、汚《よご》れの激しい高架下を安全に楽しく通行できるアートギャラリーに変えてほしいとの依頼《いらい》があって」とあり、「落書き、薄暗いイメージ」と説明を添《そ》えて、ホームレスの人たちの段ボール小屋とグラフィティのある高架下の粗《あら》い画像の写真が貼りつけてあった。

プロジェクトが始まると、絵を描く作業のあいだ、高架下のホームレスの人たちは荷物や寝床をなるべく脇にどかし、その日の作業が終わるとまた元に戻《もど》して協力した。しかし、数日かけて壁画が完成すると、皮肉なことに、町会は「ここに住んでいる人たちはほかの場所へ移動するように」と勧告《かんこく》する貼り紙を貼ったのだ。できあがった絵は、波や風、蝶《ちょう》などがカラフルに描《えが》かれ、とてもファンシーでイノセントな印象で、このまちづくり協議会の依頼にまっすぐ応えたように見えた。しかし、その「安全に楽しく」というイメージの裏には、ホームレスを追い出そうとする力も働いていた。

貼り紙が貼られたあと、ここに住んでいる人たちは、ほかに移動できる場所なんてない、強制的に追い出されるのだろうか、と不安な毎日を過ごしていた。

このアートギャラリーについて、ホームレスを支援《しえん》する人たちやアーティストたちが、町会やデザイン学校と通路を管轄《かんかつ》する国土交通省に、なぜこのようなことになったのか説明してほしい、と話し合いを申し入れた。これに対し国土交通省は形だけ応じたが、町会やデザイン学校からはまったく応答がなかった。話し合いが十分に持てないまま、平行線が続いた。

ところが事態を一変させる事件が起こった。ホームレスの支援団体が話し合いを続けてほしいと申し入れている頃《ころ》に、ある段ボール小屋の周辺で火事が起こったのだ。そこに住んでいた人はその時ちょうど不在だったのでけがなどはなかったが、小屋と荷物がすべて焼けてしまった。

連絡《れんらく》を受けてわたしが高架下を訪《おとず》れてみると、この出来事のために住人たちはお互《たが》いよそよそしくなり、人間関係がぐらぐらとゆらいでいた。住人の誰《だれ》もが、これは放火されたのだと考えていたが、「こんな時に火事だなんて。あいつ」と被害《ひがい》者を責めていた。こんな時にこそふだんの助け合いが生きるのだと思っていたのに、コミュニティのつながりも燃えてしまったのだろうか。周辺の住人たちは不安になり、放火されて命までとられてはたまらない、と出ていった人もいた。段ボール小屋が焼けてしまった人はほかの場所で寝ていたが、不安でまったく眠《ねむ》れない日々が続き、体調を壊して結局施設に入ることになった。火事があった場所は、消防の人たちによってかたづけられ、まるで何事も起こらなかったような状態になった。そうして、火事の真相はわからないまま、ホームレスの多くは高架下から出ていき、壁画の横に看板が設置されてアートギャラリーは完成した。

ロケットに乗って夜を乗りきる

わたしは、その真っ黒に焼けた壁と地面を何度も見に行った。そこにあった生活を思い浮かべながら空っぽの通路を見ていた。これ以上、闇《やみ》が広がらないでほしい。わたしはそこで野宿することにした。ただ野宿するのではなく、壁の焼け煤《すす》が彗《すい》星《せい》の尾《お》に見えるように、上着の背中に黄色い星をアップリケして。焼けた壁や地面を「ただの黒い壁」にしないために。

高架下の通路に段ボールを敷《し》き、体を横たえる。12月中旬、寒さで体はがたがた震《ふる》え、眠れない。駅で野宿する人たちは、少しでも暖かくなるようにいくつかの段ボールをつなげて大きな箱をつくり、その中で寝るのだと知った。段ボールでつくった箱の中は、公園のテントの中より暖かい。しかし、いちばん悩《なや》まされたのは、予想以上に多かった通行人からの襲撃《しゅうげき》だ。年末だからか酔っぱらいが多く、わたしが入っている段ボールハウスを蹴《け》ったりたたいたりしていく。これでは、寒さをしのげたとしてもほとんど眠れない。どうすればいいのか。

駅周辺に寝ている人たちから「通行人に見えるように体の一部を外に出して寝るといい」と聞いた。すぐに出てきて反撃《はんげき》するように見えると攻撃《こうげき》してこないという。しかし、わたしは女の顔や体を持っているので、そうしても暴力の歯止めにはならず、むしろねらわれることが懸念《けねん》された。また、この一帯の通路に野宿しているのはわたしだけだったので、余計にねらわれやすい。このホームレスをちょっと蹴ったりたたいたりしても誰にも見られないだろう、と思われるかもしれない。

ここでどうやって眠るか。

わたしは、銀紙で星をたくさんつくり、黒く焼けた壁や地面、そして段ボールにも貼りつけて、キラキラさせることで防衛を試みた。蹴りたくなる衝動《しょうどう》を星のキラキラで煙《けむ》に巻く作戦。キラキラとした輝《かがや》きはこの街の魅力《みりょく》とされているものでもあり、人の目をあざむくものでもある。

段ボールの中。外の足音や話し声が何事もなく通りすぎていくようにと、星たちに思いを託《たく》す。コツコツコツとヒールの音が近づいてきて、「え？　何ここ？　星？

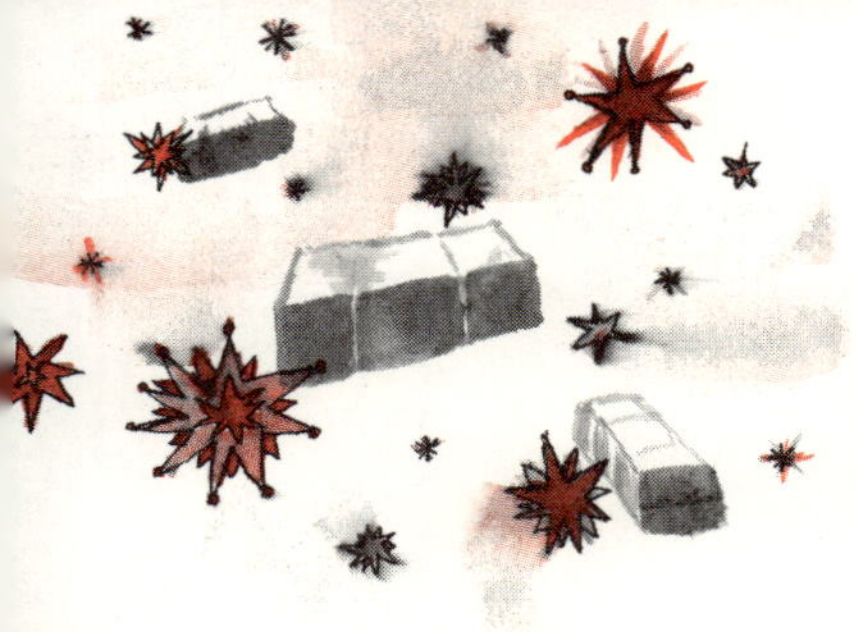

「カワイイ」と声が聞こえ、通りすぎていった。「カワイイ」と思わせることもめくらましに使えることがわかった。

しかし、星は破れた。寝ているあいだに、夜中に掃除《そうじ》をする謎《なぞ》のおじさんが星を全部掃《は》いてしまったのだ。そのとたんに、段ボールの上にパイプ椅子《いす》が飛んできた。暴力に心が折れそうになっていた時、ほかの段ボールハウスで寝ている人たちに、寒さだけではないこの厳しい夜をどう過ごすのかを聞き、勇気づけられたことを思いだした。この界隈《かいわい》の野宿生活者たちは、段ボールハウスのことを「ロケット」と呼んでいるというのだ。ロケットと呼びあうファンタジーによって夜を乗りきろうという作戦だ。わたしも仲間たちとこの宇宙飛行を続けていきたい。そこで、銀紙の星を倍増させて、ロケットや壁や地面に貼りつけ、その空間を宇宙飛行のイメージに近づけた。黒い焼け跡にキラキラした星とロケットはよく映《は》え、そこで眠ることにわたしは、もうひるまなかった。

しばらくすると、わたしのロケットの横に、雨や雪の時だけ飛行する2機のロケットがやってきた。またしばらくすると、ロケットは5機に増えた。5機のロケットで宇宙飛行することで、以前より安心して眠れるようになった。もうキラキラさせる必要もないだろう。

246キッチン

少し安心して寝ることができるようになると、次は食べることを試みた。

この高架下で起きた火事やホームレスへの追い出し、ホームレスへの襲撃のことが気になっている人たちがたくさんいた。そこで、ホームレスもそうでない人も、ホームレスの人たちのやり方にならいながら、「一緒《いっしょ》に食べること」を通して、互いに助けあい安心できる場をここで実践《じっせん》してみようと思った。

わたしは高架下に食卓《しょくたく》を置いて、「246キッチン」という共同炊事の場を開くことにした。ホームレスもそうでない人も食材を持ち寄り、何をつくるのか一緒に決めて、一緒に料理をして食べる。食べることが生きることならば、一緒に食べることは共に生きることについてのイベントとなる。

何人かが米を少しずつ持ってきた。誰かが「こんなのあるよ」とどこかのおそうざい屋さんが廃棄《はいき》したたくさんの天ぷらを。ほかの誰かが「ひとりではなかなか食べられなくて」と言って持ってきたのは、大きなさつまいも。別の誰かが、何種類かの使いかけの野菜を並べた。少し傷《いた》んだグレープフルーツもある。すべての食材を食卓に出してみて、その日は、天ぷらをフライパンで温め直し、野菜とさつまいもの汁《しる》をつくることになった。料理は誰がやってもいい。適当につくっていると予定とはちがう料理ができてしまうこともあるが、それもいい。元コックのホームレスの人が、小さなお椀《わん》にグレープフルーツの果汁《かじゅう》を絞《しぼ》って、天ぷらが盛られた皿に添《そ》えた。なかなか豪華《ごうか》になった。手元にある食材をみんなで出しあい、みんなでつくる。手ぶらで参加してもいいし、つくらない人もいていい。それでも、一緒にここで食事をすることが、共に生きることになる。多い時は15人くらいが集まり、毎回、ホームレスの人たちもそうでない人たちも、一緒に食卓を囲《かこ》む。

家庭の中でけんかがあるように、この食卓でももめごとは起こる。しかし、この食卓が「家」の食卓と異なるのは、ここが家族だけに閉じられた場ではないことだ。もめごとが起こってもレフェリーが何人もいて、解決の糸口をみんなで探《さぐ》ることができる。互いに謝《あやま》ったり許したりするのをみんなで見守り、泣いたり笑ったりしている。

こうして、いろいろな人たちが互いにかかわりあい、場が生き生きとしているあいだは、襲撃を受けてもみんなで対応できる。

そうしているあいだに、アートギャラリーの看板はいつのまにか外されていた。

その後も246キッチンは続けることになり、ほかの場所で追い出しや襲撃があるとそこへ鍋やフライパンを持って向かった。ホームレスの人が追い出され突然封鎖《ふうさ》されてしまった公園や道路のフェンスの前で、あるいは襲撃に遭《あ》った人が避難《ひなん》している路上で、一緒にごはんをつくって一緒に食べた。

襲撃や追い出しを直接防ぐことにはならないけれど、被害に遭った人がひとりにならないように、数人で集まった。ぎりぎりの生活を壊されてしまったホームレスの人が、恐怖《きょうふ》と孤独《こどく》感に襲《おそ》われ不安が長く続き、生きる力を奪われないように。厳しい生活に堪《た》えきれなくなって、自暴自棄《じぼうじき》にならないように。

追い出しを計画している人たちは、街をキレイに安全にするためと思っているかもしれない。襲撃した人は、ちょっとした出来心でやっただけだと思っていて、やったことさえもう忘れているかもしれない。

ホームレスにも開《ひら》かれた場所はほとんどない。しかし、ホームレスの人たちは、ここにいて、生活をしている。

壁をよじのぼる野宿者たち

追い出された野宿者は、どこにでも移動できるわけではなく、ほとんどの場合、より劣悪《れつあく》な場所で野宿することになる。追い出しがあった場所は、塵《ちり》ひとつなくかたづけられて、野宿生活の気配が消し去られた風景に上塗《うわぬ》りされる。都市の再開発や街づくりの物語は、野宿者はいないことにして進められていく。しかし、実際に街に野宿者はいる。消しゴムで消すように、無いことにはできないはずだ。

排除《はいじょ》を見えなくする「物語」

２０２０年の東京オリンピック開催《かいさい》を前にした２０１７年3月27日の朝、渋谷区の宮下公園から、事前に何の予告もなく、野宿者が突然追い出された（64ページ参照）。宮下公園のまわりにはぐるりと高いフェンスが設置され、公園の解体工事と「MIYASHITA PARK」の建設工事が、オリンピックに間に合わせるため急ピッチで進められた。野宿者を追い出して、公園を商業施設に変えようとしているのだ。

この大規模な工事用フェンスに、障害者のスポーツ選手や同性愛のカップル、高齢者《こうれい》などが登場し、多様なマイノリティが街で共に生きているかのような物語を描くプロジェクトを、あるNPO法人が企画《きかく》した。[11] 渋谷区や東京都の協力の下《もと》、この全長200メートルの絵を「世界最大級のアート」として完成させようと、制作にはボランティアの参加が呼びかけられた。人気の高いイラストレーターが原画を担当し、美大生など200人ものボランティアが参加して描かれたフェンスの絵は、SNSで拡散《かくさん》され、「感動した」「すてき」「かわいい」などと話題になった。

わたしたちには、この白いフェンスは野宿者をたたき出した冷たいフェンスに見えていたが、プロジェクトチームは、これを純粋《じゅんすい》な真っ白なキャンバスと見て創作に向かったようだ。プロジェクトのホームページを見ても、このフェンスがどのような経緯《けいい》でつくられたのか、中で何が建設されているのかはほとんど掲載《けいさい》されていない。ただ、「街がこうだったらいいな」という心優《やさ》しい物語として描いたのだろう。フェンスの中ではホームレスの人たちを強制的に追い出し、公共の公園を商業施設につくり変えているという事実に言及《げんきゅう》しないまま、その事実を「かわいい」「心温まる」イメージで上塗りする作業が、ボランティアの人たちによる地域貢献《こうけん》の活動と

して行われたのだ。

フェンスの物語によじのぼる

人は、事実よりも、自分が見たい物語のほうに焦点《しょうてん》を合わせて見る、ということがある。今回、わたしたちは「それならば」と、フェンスに描かれ人々が見ている物語の中へ、わたしたちのほうから入っていくことにした。

街にいる野宿者の多くは、段ボールを敷いた上や段ボールでつくったロケットの中に寝ている。街で簡単に拾える段ボールは、野宿者にはとてもなじみのある物だ。人々に何かを訴《うった》える時はプラカードにもなる。そこで、段ボールで等身大の人形《ひとがた》をひとりずつつくって、高さ3メートルほどのフェンスの上から吊《つ》るし、そのアバターがフェンスをよじのぼっている姿に見えるようにアクションをおこなった。それぞれのアバターには、ひとつひとつメッセージを書いた。「公園返せ！」「NO OLYMPICS」「公園で金もうけするな」など、この公園に生活があったことを伝え、公園のあり方を問いかけるメッセージだ。

フェンスの物語の風景の中に野宿者が現れた。わたしたちの前に立ちはだかる壁をみんなでよじのぼっている。このエリアは、平日の昼間でも4万人ほどが通る注目度の高いエリアだという。わたしたちのアバターが物語の中をよじのぼっていく姿を、たくさんの通行人が写真に撮っていった。

フェンスの絵が公開されていた1年半ほどのあいだに、このアクションは何度かおこなった。少し仲間が増えた。わたしたちは多数ではないが、仲間はいる。段ボールのアバターは、何度もよじ登っているうちにすり減ってきて、少し手入れをしたり、新しいものに替《か》えたりした。また、ひとりの通行人が、わたしたちのアバターを乱暴に剝《は》がして立ち去っていったことがあった。アバターの足がもげてしまった本人はショックを受けていたが、ほかの野宿の人がそのアバターをなでて励《はげ》まし、ガムテープで補強した。

わたしたちのアクションは、この公園の巨大《きょだい》な開発プロジェクトに対して、あまりにも弱く小さい。MIYASHITA PARKの建設作業はどんどん進み、オリンピック・パラリンピックを歓迎《かんげい》する街づくりは止まらなかった。わたしたちのパフォーマンスは、「強さ」や「勝利」を指向するオリンピック・パラリンピックとは価値観がまったく異なる表現だったと言っていいだろう。どんな生活を送っていても、どんな人生であろうとも、ひとりひとりが絶対に大切なのだということを、ホームレスの人も、そうでない人も、自分自身で確認する表現だ。

❖11　２０１８年に実施された「渋谷明治通りＰＲＯＪＥＣＴ」のこと。全長２００メートル・高さ３メートルの宮下公園の工事用フェンスに、「ひとりの少女が愛犬を見失い、探しながら、障がい者やＬＧＢＴの方など渋谷の多種多様な人たちに助けてもらい、ふれあっていく温かいストーリー」が描かれた。これは、多様性を尊重する前向きな社会を応援《おうえん》するという渋谷区のメッセージを反映した作品とされている（プロジェクトを企画・制作したＮＰＯ法人のウェブサイトより）。工事の終了《しゅうりょう》に伴《ともな》い、絵を描いたフェンスは２０１９年に撤去《てっきょ》された。

見えるものと見えないもののあいだで

わたしがこれまでにつかんできた、見えないけれどもはっきりしている事柄《ことがら》について、いくつか書いておきたい。

わたしに見えているものと世界のあいだ

わたしの中にあるもやもやとしたものが内側で静かに爆発《ばくはつ》して、外側に出てくると、それはだいたい視覚的なイメージだ。子どもの頃、わたしはよく椅子の下に隠《かく》れ、部屋の中にある日用品を並べて、物語が始まるイメージを空想して遊んでいた。そんな時、わたしにはそれがはっきり見えているが、世界からはわたしがつくったものを見ることはできないと感じていた。絵を描く時は、わたしはすべての世界から立ち去って、画用紙の中につくった空間に入っていくことができた。いじめられた時は、ひとりでいられる場所を外でも家の中でも探して、ものをつくっていた。あるいは、近くの川に行って、流れてくるものを岸に引きあげ、ボロボロになった電化製品やプラスチック容器などを解体したり、別のものにつくり変えたりしていた。世界にはその目的や意味を見いだせないだろうが、わたしにはとても重要なことだった。わたしがそういうことをしていることはほとんど誰も知らず、説明する気もなかった。

罰《ばつ》によって教えをすりこまれる学校教育の中で、ほめられることは嫌《きら》いだった。学校の評価が、わたしのことを理解していることはほとんどなかった。11歳《さい》の時、国語の授業で教員がわたしを殴《なぐ》った。それ以降、国語のテストは名前だけを書いて白紙で提出した。その白紙のテスト用紙はわたしにとって正しかったが、その教員に提出するのはとても怖《こわ》かったことを覚えている。その後その教員はわたしをまた殴ったが、負けた気はしなかった。その時、自分と権威《けんい》との完全な断絶を知った。

図書館で画集を見たり、近くにあった民族学博物館や、現代美術を紹介する美術館に行ったりして、アートに触《ふ》れ、精神が救われた。家族の反対を押《お》し切って、美術の大学に進んだ。自分が大学に行きたいかどうかはわからなかったが、それが何かからの脱出《だっしゅつ》方法だと思った。

ある日、セクハラやパワハラがまかり通っていたその大学の教員から「あなたの作品は嫌《きら》いだ」と言われる。拒否《きょひ》されることは、なぜかすごく腑《ふ》に落ちた。その時わたしはそれまで考えてもみなかった見方で、自分自身を見た。その後も、その感覚を忘れたことはない。

偉大《いだい》とされている芸術を鑑賞《かんしょう》し文学を読み、心を奪《うば》われあこがれてきた。しかし、心を奪う力についてよく観察し、考えてみると、何がよりどころになって、その物を美しいと感じさせているのかが見えてきた。どのような立場の人がつくったのか。その「作品」を誰が評価し、どこで発表されるのか。そして誰が記録し、どこで保存されるのか。芸術作品の「普遍《ふへん》的」とされて受け入れられている価値が、実は一部の特権的な人たちによってつくられ、文化としてわたしたちをとり巻いていることに、だんだんと気がついてくる。

絵のフレームを超《こ》えて、作品をつくりはじめる。テントを持って旅に出る。個人的なテーマで旅をして、出会う会話や土地の歴史、風景をばらばらに断片的にとらえ、日記を書き、スケッチし、拾ったりもらったりした要素のかけらのようなものを並べて残していく。それが世界を思考するわたしの方法だった。

ところが、生きるためには賃労働をしなければならないことになっていて、それがわたしの精神を苦しめた。より生産性を高めて競争するためにわたしの身体は壊《こわ》れ、孤立《こりつ》していった。しかしその競争こそが、わたしという存在の意味をつくる、ということになっていた。「価値がある」とか「豊かだ」とされる物事は、その競争にそもそも不利な人たちの犠牲の上に成り立っていて、「そのような犠牲はしかたがない」と切り捨てるムードが社会に広がっていることが苦しかった。そのムードに従わなければ、行きつくところは死だ。

しかし、公園のテント村と出会って、その世界から抜《ぬ》け出すことができた。ここでは、さまざまな理由で家を出た人たちが自分たちで村をつくっている。すぐにわたしはここで暮らすために動いた。ここに自分のテントをたてて、ようやく気がついた。窒息《ちっそく》しそうなほどわたしを苦しめたのは、想像力が死ぬことだったのだ。

当初、テント村にこれほど長く住むことになるとは思っていなかった。しかし、テント村や路上に住む人たちといると、世間の標準的な生き方をなぞるのではなく、自分自身として生きていく方法を探るには、想像力を働かせることだと、信じることができる。生きていくための場をつくっている。今のところ、ここで。

わたしたちの自己表現はどのように可能なのか

「人々にはホームレスの存在が見えていない」と書いてきたが、ホームレスの生活は見られたほうがいいのかというと、そうとも言えない。追い出しや襲撃が跡を絶《た》たない状況で、居場所やプライバシーがさらされることの代償《だいしょう》はあまりにも大きい。世の中でホームレスの存在が否定されず、排除や襲撃などを受けず、そのままで生きていけるようになるために、どのように生きていたいのか、何を求めているのかを、ホームレス自身が自分の言葉で語れたことはあるのだろうか？　これほどに目をそむけられ、ホームレスは価値のない存在だという偏見《へんけん》が広がっている中で、ホームレス自身が自分のことや生活について表現をすることは可能なのだろうか。

声をあげにくいホームレスの人たちのために、支援者がホームレスの代弁をすることがある。そういう時、支援者は「ホームレスは資本主義社会の犠牲者だ」とか「望んでホームレスになった人はいない」などと主張することが多い。どちらも、そうとも言えるが、そう言い切れないこともある。しかし、路上や公園にいるホームレスの人たちは住民登録が認められていないため、社会保障や医療《いりょう》、雇用《こよう》の相談のために役所の窓口にひとりで出向いても、受け入れられにくい。だから、たとえ支援者の考えとホームレス自身の認識にちがうところがあるとしても、支援者が窓口に同行して相談や交渉《こうしょう》を手伝う必要がある。

福祉事務所の職員が「救済が必要だ」と判断するのは、その人のそれまでの経歴や今の暮らし方を聞き、「自身では生活を立て直せない」と確認できた時だ。相談者は、生まれた頃からの人生をふり返って、「どうしてホームレスになってしまい、人生を誤《あやま》ってしまったのか」という物語を懺悔《ざんげ》さながらに語ることになり、公的に記録されてしまう。しかし、その人の人生がどのようなものだったかは、いつ確定するともわからないものだし、話すなら自分のタイミングで話したいものだ。

このように、行政の職員、食べ物を配る人、研究者、支援をする人たちなどのそれぞれが求めるホームレスの姿や態度があり、支援が必要なホームレスの人はおのずとそれに沿った像を演じることになる。支援が必要な時に、そういった忖度《そんたく》や演技をして相手に合わせることなく、ひとりひとりが自分を表現することは可能なのだろうか。

主流の文化に対抗する表現

ホームレスが置かれている状況や、ホームレスだけではなく地域の人たちにも影響《えいきょう》する再開発の問題を知ってもらうために、わたしたちは街頭でビラ配りをする。そのビラを作成する時は、どんなデザインにするか、いつもとても悩《なや》ましい。流行《はや》っているものやおしゃれな感じをとり入れてデザインすれば手にとってもらえるかもしれないが、そもそもそういった主流の価値観や文化はわたしたちを追いこんでいる側でもある。それらをしっかり批判するような表現を考えなければ、伝えたいことを伝えられなくなってしまう。

主流の文化に対抗的《たいこう》に表現する手法として、パロディがある。批判したい権威的なコンテンツを、皮肉やユーモアをこめてつくり変えることだ。ただ、これは「オリジナル」の著作権の侵害《しんがい》となることもある。表現のしかたや拡散《かくさん》をする範囲《はんい》など、十分に工夫をする必要がある。

一方で、虐《しいた》げられる中で表現され、身を守るために匿名《とくめい》で発表された作品を、企業《きぎょう》はお金もうけのために盗用《とうよう》してきた。たとえば黒人音楽や、ストリート文化から生まれたグラフィティなどは、それぞれ抵抗《ていこう》の文化として育てられてきたが、今は商業主義の中で骨抜《ほねぬ》きにされ、使い倒《たお》されているものも多い。

文化というものは、ルーツはあっても誰かが所有するものではないので、実際に盗《ぬす》んでいるのかどうかという判断は難しい。ただはっきり言えるのは、その作品や表現を使う目的は何かということだ。金もうけのためか、文化を守るためなのか。その作品や表現がどちらのものとして生きていくのかは、受けとる側がどういう表現として受けとめるかにも左右される。

ノラでは、ホームレス生活に影響する情報や、生活者としてのホームレスの声を掲載《けいさい》したZINE（手づくりの小冊子）を作成して、配っている。仲間たちに情報を伝え、広めるためのものだ。いたって内輪向けのものなので、自分たちの言いたいことを書いている。お金がない人には無料で配って、お金がある人にはカンパしてもらう。そのカンパでまた次のZINEをつくる。

こういったZINEやビラは、手渡《てわた》しする範囲でしか伝えられないし、外で暮らしているわたしたちには長く保存することは難しい。それでも、またつくる。そしてまた消えていく。こういうプロセスをくりかえしてやまないのは、自分たちに必要なことを自分たち自身の力で伝えあうネットワークをつくり、わたしたちの生活や思考を支配しようとする主流派の文化や権力に抗《あらが》いたいと渇望《かつぼう》しているからでもある。

わたしたちの表現がすべて闘《たたか》いや抵抗のためのものであるべきだ、というわけではない。生活の中でなじみのあるものから湧《わ》いてくる感情を手の中で心地よく表すことは、精神の小さな解放のプロセスだ。

エノアールを一緒にやっている小川さんが最近つくっているのは、落ちているごみを使ったオブジェだ。決して手のこんだものではなく、たいていはひとつふたつを組みあわせてつくる作品で、できあがると「何やさん」と称して路上に並べて売っている。駅周辺の繁華《はんか》街から離《はな》れ、少しのんびり歩いてきたあたりで出会えるひとつひとつのオブジェのたたずまいは、個性があって愉快《ゆかい》で、切《せつ》ない。アスファルトの地面を持ちあげて咲《さ》く小さな野花のようでもある。それらのオブジェに出会ったあと街を歩くと、少し世界がちがって見えるのではないか。

見えるものと見えないもののあいだで

ホームレス自身が、自分がホームレスであることをそのまま受け入れることはできるだろうか。それを可能にするためには、まず、自分たちの生活に注目し、その価値を肯定《こうてい》し、その存在を喜ぶことだ。自分が生きているありようを肯定することは特別なことではなく、すべての人に備わっている尊厳そのものだ。

わたしたちホームレスに必要なのは、「現代社会の被害者」「犠牲者」あるいは「怠《なま》け者」「普通《ふつう》ではない人」などというレッテルから解放されて、自分たち自身で自分たちのことを見つめ、問い直す経験だ。自らの痛み、嘆《なげ》き、矛盾《むじゅん》をそのまま表現し、受けとめることができるような場を持つこと。炊《た》き出しのあと、おなかがいっぱいになった状態で、街の中で、夏は木陰《こかげ》で、冬はひなたぼっこをしながら数人で話ができる場。街で拾った小銭《こぜに》を集めて喫茶店《きっさ》に入り、ひとりでノートに日々のことを書きつづり読み返す場。女性ホームレスが集まるノラの活動もそうだ。そこで自分自身について、自分たちの生きる環境《かんきょう》や社会を見つめながら考えることができる。

昔から、土地や家を持たず、路上や河原など空いている場所に暮らす人たちはたくさんいた。そこから歌舞伎《かぶき》などの文化が生まれたことは興味深い。そのような場では、女性たちには性暴力や性差別などがあり、厳しい状況だっただろうことは容易に想像できる。白拍子《しらびょうし》、傀儡女《くぐつめ》❖12など旅芸人として流浪《るろう》した女性たちもいた。

こういった場で自分たちの文化を生みだしてきた人々は、厳しい差別や抑圧《よくあつ》をくぐりぬけて、生活の中に、ささやかでも自らを見つめる場をつくっていたのではないか、と思いを馳《は》せる。

現在も、世界の多くの都市で公共空間や空いているビル・土地などに貧困者たち

❖12 白拍子は、平安時代末期から鎌倉《かまくら》時代にかけて流行した歌舞、またそれを男装して舞《ま》った女性。傀儡女は、平安時代以降、歌に合わせて人形をあやつり舞わせる芸をした女性。

が住んでいる。わたしが訪れたオランダ、ドイツ、イギリス、ブラジルなどの「スクウォット」と呼ばれる空きビルや土地の占拠《せんきょ》活動では、人々はエンパワメント[13]を実践しながら自律的な運営によって場をつくっていた。ドイツ・ベルリンのカナルというスクウォットのコミュニティでは、使われていない工場とその敷地《しきち》に、ワゴンや古いキャンピングカーなどを集めて、女性やトランスジェンダー、またロマ（＝ヨーロッパなどで移動生活を続けてきた少数民族。以前はジプシーという蔑称《べっしょう》で呼ばれた）の人たちが住んでいた。共同のキッチンやシャワー室を設置し、畑をつくって野菜を育て、映画の上映会や、自転車の修理などのワークショップも開催《かいさい》していた。

また、ブラジルには、リオデジャネイロやサンパウロなど大きな都市を中心にファベーラと呼ばれる街がある。解放された元黒人奴隷《どれい》などの貧しい人たちが自らつくってきた大規模なコミュニティだ。現在、たとえばリオデジャネイロでは人口の約2割がファベーラに住んでいると言われる。ファベーラについては治安の悪さが報道されるが、警察や行政側がファベーラの住民を危険人物や犯罪者だと決めつけて、十分な捜査《そうさ》もなく逮捕《たいほ》したり、時には射殺《しゃさつ》したりする事件は少なくない。しかし大手メディアはそうした事件をほとんどとりあげないため、いくつかのファベーラでは、住人自身がジャーナリズムを学び、自らのコミュニティの情報を自分たちで配信することにとりくんでいる。そのコミュニティメディアでは、仕事、医療、共同保育や教育について、政治や経済、そして地域内の事件などについて、自分たちの視点で書かれている。

あるファベーラ内の使われなくなった建物を活用したミュージアムでは、自分たちのコミュニティの歴史を記録し、伝えていくため、かつての住居や仕事道具などの展示とともに、ファベーラに大きな変革をもたらした事件や、ファベーラへの暴力や差別に抵抗し、自分たちの権利を獲得《かくとく》してきた歴史を伝える展示、また、警察が銃《じゅう》を持ってパトロールすることなど現在の問題を学べる展示なども行われている。自分たちのことは自分たちで決定し、自分たちが持っている力で生きる場をつくっていく試みは、外部から専門家や行政の人たちが入ってきて人々を導こうとする場

❖13 生きる力を失った時などに、人とのかかわりの中で、本来持っている「自分のことは自分で決めて生きていく力」を回復し、再獲得《かくとく》していくこと。スクウォットに参加する貧困者には、差別や抑圧を受けてきた人々も多く、尊厳と自尊心を回復して生きていくためにエンパワメントが必要となる。

とは大きく異なっている。

これまでも、今も、世界の多くの街に、ホームレスとして、あるいは公的には認められない場所で生活している人たちがいる。

世の中の主流とされる価値観や生き方に順応しないそのような人たちは、住む場所からの追い出しや世間への同化の圧力に抵抗しつつ、独自の暮らし方を、状況に応じて変容させながら維持《いじ》してきた。

見えるものと見えないもののあいだでそのような暮らしをつくる人たちは、たとえ見えなくても、この地球の上にたくさんいるだろう。これからも、きっといる。

手紙

少し離《はな》れたそこにいるあなたへ

雪が雨に変わり、冷たい夜です。ばたばたと雨がテントにあたる音に囲まれて、小さなテーブルの上でこの手紙を書いています。公園の梅はまばらに咲《さ》きはじめています。春が待ち遠しいです。

少し離《はな》れたそこにいるみなさんは、どのようにお過ごしですか？

わたしはここまで自分の経験してきたことを書きました。ホームレスの暮らす環《かん》境《きょう》とそこで起こる出来事はひとつひとつ複雑で、わたしが言葉にできないこともたくさんあるので、ここにある一刻一刻の日常を十分に伝えることはとても難しいです。ホームレスの人たちも一様ではありません。ホームレスでいることは、わたしの個人的な経験でもありますが、ホームレスはこの社会の中のどこにいて、どう見られているのかという大きな視点のことを感じながら生活しています。

ホームレスのことは自分とはかかわりがない、自分はホームレスにならない、なりたくないと思うかもしれません。そう思う人へ、この手紙を書いています。つまりこれは、ここに暮らしはじめる前のわたし自身への手紙でもあります。

ホームレスの人たちは、常識から逸脱《いつだつ》していて、何をするかわからない、と考えられています。「何をするかわからない」というのは、わたしたちの工夫を凝《こ》らした暮らしのことをそのように感じるのでしょう。既存《きぞん》の生き方ではないので、そこでわたしたちの生活や身体、精神のあり方が独特になってくるのは確かでしょう。外部からの「普通《ふつう》ではない」というまなざしを感じて、わたしの精神の奥《おく》には緊張《きんちょう》と、うずくようなものが解けないままあります。それは、多様な人たちと共に生きていくことの肌《はだ》ざわりなのかもしれません。

追い出しや襲撃《しゅうげき》など、生きのびる力を奪《うば》われるようなことがある時こそ、わたしたちは仲間同士で集まります。仲間というのは、わたしの場合、同じテント村の住人だったり、ノラのメンバーだったり、場合によって変わります。少し離れたところにいる仲間に手伝ってもらいたいこともあります。しかし、外からの干渉《かんしょう》を最小限にして、わたしたちは仲間だけの場で自分たちを守る時間を過ごします。

そこには、痛々しいこと、貧しさ、そして解放があります。わたしが仲間と過ごす時にそこに起こること――あてずっぽうの歌詞で心の底から全身で歌うこと、体が自然に動きだして踊《おど》ること、言葉の意味のズレや、通りすぎるカラスの声、風、光なども含《ふく》まれる会話、小屋なのか荷物なのかわからないような不定形な住居の横で、夏には木陰《こかげ》に、冬にはひなたに椅子《いす》を移して座《すわ》って過ごすこと――このようなことのすべてが、わたしたちの日常にあるそのままにしておきたいことです。

ただ、こういったわたしたちの日常は、外の世界で決められたルールや都市計画などによって、無惨《むざん》にも壊《こわ》されることがあります。ですから、自分たちを守るために隠《かく》れ、外から見えないようにしたりします。

一方、世間の人々がわたしたちにぶつけてくる軽蔑《けいべつ》や憎悪《ぞうお》を受け入れてしまうとたちまち、罪悪感や「恥《は》ずかしい」という感情も湧《わ》いてきます。それによって、時には仲間同士で責めあうことになってしまい、持ち物、人間関係などを自ら壊してしまうといったことも起こります。やり場のない気持ちにさいなまれ、誰《だれ》かにやられる前に自分でやろう、あるいは、仲間うちで主導権を持つために壊してみせようとしてしまうのです。こういった暴力、いじめなどで、仲間のあいだでつくってきた大事な物事は、水の泡《あわ》となっていきます。

いずれにせよ、社会での現実とはどうしても折りあわない暮らし方や生き方の細部こそ、わたしたちがもっとも切り離《はな》したくなく、同時にとても脆弱《ぜいじゃく》でもあることなのです。それはほかの人々からは矛盾《むじゅん》しているとか、だらしないとか、理解できなくて恐《こわ》い、不快だなどと感じられるのだろうと思います。

ホームレスを襲撃する人はそこを目がけて、石を投げてくるように感じます。それはホームレスを弱い者いじめしているというだけではなく、石を持つその手は「正しい」と信じることの力によってかきたてられていないでしょうか。正しくなく、恐怖を与《あた》えるものを、制するという力です。また、石を持つことで、自分の側がさらに強さを持ち、より効果的に一方的に相手を攻撃《こうげき》することができます。その強さを示そうともしているのでしょう。ある特定のホームレスにというよりも、ホームレスの姿に重ねて「まちがっている存在」を立ち上がらせ、それを目がけて石を投げているつもりなのかもしれません。

ここで、自分と世界とのつながりについて考えてみようと思います。ひとりでいることがわたしを助けてくれます。「ひとりでいる」ということは、さまざまな人や物、草木や山や海、そして、記憶《きおく》や時間など、あらゆるものと自分との距離《きょり》や違《ちが》いを感じて、ひとりの自分を確認することです。それぞれのものとの「あいだ」には、いろんなかたちがあります。やわらかくて伸《の》びちぢみするようなものでつながっていたり、霧《きり》がかかっていたり、固い岩のようなものがあったり。わたしは友人とけんかをした時は、深い溝《みぞ》を感じますが、ある日突然《とつぜん》そこに橋が現れたりすることもありました。毎日見かける木と葉そして自分のあいだに吹《ふ》く風、そこにある光。また、思いだしたくないこととのあいだには、キーンと音が鳴るような闇《やみ》があります。

そのように、わたしとさまざまなものとのあいだにさまざまな関係があり、その空間に気づくことによって、誰とも決して混ざることのないひとりの自分を感じます。ひとりでいることで、ようやくわたしは世界を意識することができます。

そして、この世界でどう生きるのか。生きることに正解はありません。生きることの中で価値を決めるのは自分でありたい。生きさせられるなんて、もうこりごりだと思いませんか。

雨があがったら、乾《かわ》いた落ち葉を集めて、地面に敷《し》いて、スケッチをして過ごそうと思います。

あなたには何が見えますか?

いちむらみさこ

GUIDE

見えるものと見えないもののあいだを
もっと考えるための作品案内

本文で考えたテーマをさらに考えていくための、おすすめの本や作品、活動団体などの紹介《しょうかい》です。

＊書店で見つからない本は、図書館などで探してみてください。

●1章

モモ　ミヒャエル・エンデ著、大島かおり訳（岩波書店、1976年）＊原著は1973年。日本語訳は岩波少年文庫版もある（2005年）。

「時間どろぼうとぬすまれた時間を人間にとりかえしてくれた女の子のふしぎな物語」というサブタイトルがついている。野外の円形劇場跡《あと》にひとりで住みついた少女モモは、いわゆるホームレスだ。そこに集まる子どもたちと一緒《いっしょ》に空想をして大冒険《ぼうけん》をして遊ぶ。モモは、遊び方が決まっているおもちゃには、まったく興味を示さない。そして、ほかの子どもたちと一緒に街の人々に伝えるために「気をつけろ、時間をぬすみに、やつらが来るぞ」とデモ行進をする。テント村は『モモ』の世界の大人バージョンのようだ。

Dear キクチさん、ブルーテント村とチョコレート　いちむらみさこ著・イラスト（キョートット出版、2006年）

テント村に住んでいたファンキーな女性キクチさん。その後出ていったキクチさんのところへ届いてほしいと思って書いた9通の手紙。出版されてからしばらくしてキクチさんにチョコレートとこの本を届けることができた。キクチさんから「ありがとう」と連絡《れんらく》があってとてもうれしかったが、「これから遠くに行く」と言っていた。それでも、また戻《もど》ってくるのではないかと今でも思っている。

小山さんノート　小山さんノートワークショップ編（エトセトラブックス、2023年）

公園のテント村に住んでいた女性が遺《のこ》したノートからの抜粋《ばっすい》と、そのノートを文字起こしした小山さんノートワークショップのメンバーによるエッセイで構成されている。小山さんのノートには、テント村での暮らしのことや、日々感じたことが綴《つづ》られている。「私は私自身でありたい」と街を歩き、小銭を拾ったり古本を売ったりして得たお金で喫茶店《きっさてん》に入り、ノートに向かうことで、自分のための時間をつくっていた。

丸木スマ画集　花と人と生きものたち　丸木位里《いり》・丸木俊《とし》

編（小学館、1984年）
丸木スマさんは、70歳《さい》を超《こ》えてから筆をとって描《か》きはじめた。自由さと豊かな感性が画面からあふれている。こんな心意気で絵を描きたいと思う。テント村の「絵を描く会」(19〜22ページ参照)では、子どもの頃《ころ》以来、何十年かぶりに絵を描くという人も少なくない。はたしてどんな絵になるか、本人もまったくわからないのがおもしろい。丸木スマさんの自由で不思議でおもしろい絵の世界観はどこかテント村に通じるものがある。

●2章

戯曲

人形の家　イプセン著、矢崎源九郎《やざきげんくろう》訳（新潮文庫、1953年）
＊原著は1879年。
ノルウェーで発表された戯曲《ぎきょく》。ノラが夫や子どもを置いて家を出ていくという結末は、厳しい宗教的因習に縛《しば》られていた当時の西欧《せいおう》の社会に衝撃《しょうげき》を与《あた》えた。女性の権利や自立を描《えが》いた作品として現在も広く知られている。

霧氷《むひょう》の花　囚《とら》われの女たち　第1部　山代巴《やましろともえ》著（山代巴文庫、径書房《こみちしょぼう》、1980年）
第二次世界大戦が始まる頃、治安維持《いじ》法違反《いはん》で捕《つか》まった主人公が、収容された女性刑務《けいむ》所で女性たちと出会う物語。山代巴氏自身が、思想犯として独房《どくぼう》で拘禁《こうきん》された経験から書いたものだ。さまざまな理由で服役《ふくえき》しているたくさんの女性たちが登場し、受刑《じゅけい》者同士がつながり、助けあい、励《はげ》ましあう。序章「蕗《ふき》のとう」の、家に火をつけた「嫁《よめ》」の物語が象徴《しょうちょう》的な始まりとなっている書。『囚われの女たち』は全10部の連作。

まっくら　女坑夫《こうふ》からの聞き書き　森崎和江《もりさきかずえ》著（岩波文庫、2021年）＊初版は1961年（理論社）。
福岡県北部の筑豊《ちくほう》の炭鉱《たんこう》で働いた女性たちの聞き書きと森崎さんのエッセイで構成される。まっくらな地の底の過酷《かこく》な採炭労働は想像を絶する。命がけで働いていた女性たちにとって、地の底では生きようが死のうが神や仏の力は及《およ》ばず、「人間は意志ばい」と言う。ばくち、喧嘩《けんか》、貧困、ケア、あいつぐ仕事場での事故や同僚《どうりょう》の死、共に生きる人への愛憎《あいぞう》など、さまざまな感情によって燃えるような肉声が、ちょっとやそっとでは揺《ゆ》るがないやわらかい魂《たましい》をうつしだす。

●3章

エトセトラ VOL.7 特集「くぐりぬけて見つけた場所」 いちむらみさこ責任編集（エトセトラブックス、2022年）＊雑誌。

ケア、抵抗《ていこう》、そしてフェミニズムを実践《じっせん》するための、それぞれが見つけた場所についてのエッセイやインタビューなどを掲載《けいさい》。日本にはあまり見られないスクウォット（144ページ参照）についても紹介しており、ドイツ、ブラジルのスクウォッターたちのインタビューに注目してほしい。

フェミニズムってなんですか? 清水晶子《あきこ》著（文春新書、文藝《ぶんげい》春秋《しゅんじゅう》、2022年）

フェミニズムについてとても広い視野で書かれた本。歴史、文化、制度、経済などに性差別が構造的に組みこまれていることに気づかせてくれる。だからこそ、人それぞれに自分にとってのフェミニズムがある。社会変革のためにひとりひとりがどうふるまっていくのかを考えたい。

99%のためのフェミニズム宣言 シンジア・アルッザ、ティティ・バタチャーリヤ、ナンシー・フレイザー共著、恵愛由《めぐみあゆ》訳、菊地夏野《きくちなつの》解説（人文書院、2020年）＊原著は2019年。

性差別・人種差別・環境破壊《かんきょうはかい》を止めるために、資本主義を終わらせようという宣言文の本。植民地主義やさまざまな差別の上に、資本主義は成り立っている。女性たちが最高責任者になろうとも、無償《むしょう》・有償《ゆうしょう》労働の搾《さく》取《しゅ》構造を後押《あとお》しする資本主義が続く限り、あいかわらずさまざまな差別が温存されることになる。本書では、支配され、搾取され、抑圧《よくあつ》されている99%の人たちのためのフェミニズムが呼びかけられている。

●4章

その後の不自由 「嵐《あらし》」のあとを生きる人たち 上岡陽江《かみおかはるえ》、大嶋《おおしま》栄子著（シリーズ「ケアをひらく」、医学書院、2010年）

「なぜだか、ものすごく寂《さび》しい」「自分のことがいやでしかたがない」など、暴力や虐待《ぎゃくたい》からのがれて生きのびた後も、生きづらさは続く。ここに書かれていることは自分のことでもあると感じる人も多いのではないか。どうしてこんな気持ちになってしまうのか、こんな行動をしてしまうのか、わかりやすい図解もある。自分自身を認め、励まし、そして、生きる力を自らとり戻そうとする時に、何度でも読み返したい。

リブ新宿センター資料集成1、2 リブ新宿センター資料保存会編（インパクト出版会、2008年）

70年代前半から各地で女性の解放運動が勃発《ぼっぱつ》した。東京のマンションで共同生活をしながら活動していた「リブ新宿センター」とその運営グループが発行していたニュースレターや、ビラ、パンフレットなどを収録した資料集。リブ新宿センターに集まる人たちは、性差別、性暴力、家父長制などについて自身のことを語りあい、抗議《こうぎ》活動も行っていた。矛盾《むじゅん》、傷、怒《いか》りを見つめ、自らをえぐるように個人的なことが書かれた肉声のような文章は、ウーマンリブそのものだ。

アート

盲目《もうもく》の人々　ソフィ・カル作（1986年）

生まれつき目の見えない人に「あなたにとって美のイメージはなんですか?」と質問をして答えてもらった言葉と、それにあわせてカルが準備した写真などで構成したアート作品。わたしたちがものを見るとき、その視覚性は、もともと聞いたことのある情報や物語の中で、つくられているのではないか。美とはどのように生まれているのだろうか。

増補　無縁《むえん》・公界《くがい》・楽《らく》　日本中世の自由と平和　網《あみ》野《の》善彦《よしひこ》著（平凡《へいぼん》社ライブラリー、1996年）＊初版は1987年。

中世の地域社会にあった自律的な空間をめぐる歴史の本。俗《ぞく》世間の権威《けんい》的な制度から自主的に「縁《えん》を切」った人々が自ら築いた社会について書かれている。貧しく厳しい生活ではあったため、ユートピアとして語ることはできないが、女性が重要な仕事についていることも多かったことは興味深い。

文化

Kein Mensch Ist Illegal

「不法な人は誰《だれ》もいない」を意味するドイツ語のスローガンであり、移民や難民のための支《し》援《えん》活動をする国際的なネットワークの名前。1997年に開催《かいさい》された国際美術展であるドクメンタXで、さまざまな実験的なとりくみが行われるハイブリッドワークスペースの活動によって結成。ドクメンタXでは不法滞在《たいざい》者とされる人々のためのパスポート交換《こうかん》所を設置するなどした。現在は地域ごとに運営され、難民の人たちのためのデモ、音楽、グラフィティの制作などを行っている。

絵を描《か》く会に来た友人たちやカラスなどがモデルになってくれます。おしゃべりしているところを描くことが多いです。夜は、公園の電灯の下で、闇《やみ》をかきわけて自由に絵を描きます。月からの光をあてて仕上げます。

著者、装画・本文イラスト＝いちむらみさこ

2003年から東京都内の公園のブルーテント村に住み、仲間と共に物々交換《こうかん》カフェ「エノアール」を、また、ホームレス女性のグループ「ノラ」を開く。国内外でジェントリフィケーションやフェミニズム、貧困などをめぐる活動をしている。著書に『Dear キクチさん、ブルーテント村とチョコレート』（キョートット出版）、責任編集書に『エトセトラ VOL.7　くぐりぬけて見つけた場所』（エトセトラブックス）がある。公園に住んでいたホームレスの女性の遺《のこ》したノートをまとめた『小山さんノート』（同前）編者の「小山さんノートワークショップ」メンバー。

＊本文中に登場する人物の名前は、プライバシーに配慮《はいりょ》して仮名等に変更《へんこう》しています。

シリーズ 「あいだで考《かんが》える」

ホームレスでいること

見《み》えるものと見《み》えないもののあいだ

2024年8月30日　第1版第1刷発行
2024年11月30日　第1版第2刷発行

著者　いちむらみさこ

発行者　矢部敬一
発行所　株式会社　創元社
本社 ――――――――――
〒541-0047 大阪市中央区淡路町4-3-6
電話 (06) 6231-9010 (代)
東京支店 ――――――――――
〒101-0051 東京都千代田区神田神保町1-2 田辺ビル
電話 (03) 6811-0662 (代)
ホームページ　https://www.sogensha.co.jp/

編集　藤本なほ子
装丁・レイアウト　矢萩多聞
装画・本文イラスト　いちむらみさこ
印刷　株式会社太洋社

　ISBN978-4-422-36018-8 C0336

シリーズ「あいだで考える」

創刊のことば

私たちは、本を読むことで、他者の経験を体験できます。

本の中でなら、現実世界で交わることのない人々の考えや気持ちを知ることができます。自分と正反対の価値観に出会い、想像力を働かせ、共感することができます。

本を読むことは、自分と世界との「あいだに立って」考えてみることなのではないでしょうか。

さまざまな局面で分断が見られる今日、多様な他者とともに自分らしい生き方を模索《もさく》し、皆《みな》が生きやすい社会をつくっていくためには、白でもなく黒でもないグラデーションを認めること、葛藤《かっとう》を抱《かか》えながら「あいだで考える」ことが、ますます重要になっていくのではないでしょうか。

シリーズ「あいだで考える」は、10代以上すべての人のための人文書のシリーズです。

書き手たちは皆、物事の「あいだ」に身を置いて考えることの実践者《じっせん》。その生きた言葉は、「あいだ」を考えるための多様な視点を伝えます。

それを読むことは、自ら考える力、他者と対話する力、遠い世界を想像する力を育むことを助け、正解のない問いを考えてゆくためのねばり強い知の力となってゆくはずです。

先の見えない現代、10代の若者たちもオトナと呼ばれる世代も、不安やよりどころのなさを感じ、どのように生きてゆけばよいのか迷うことも多いはず。

本シリーズの一冊一冊が「あいだ」の豊かさを発見し、しなやかに、優《やさ》しく、共に生きてゆくための案内人となりますように。

そして、読書が生きる力につながる実感を持ち、知の喜びに出会っていただけますようにと願っています。